MONET

Réalisation : ML ÉDITIONS, Paris
Traduction : François Poncioni

ISBN : 1-40541-331-X

Imprimé en Indonésie

Printed in Indonesia

MONET

VANESSA POTTS

Introduction de Claire O'Mahony

SOMMAIRE

SOMMAIRE

INTRODUCTION

Claude Monet est, par bien des aspects, le peintre impressionniste par excellence. La spontanéité, la vivacité de sa technique picturale et son attachement à une observation attentive et sensible de la nature ont autant fait l'objet de louanges sur son art. Cependant, la gamme étendue de ses sujets, la complexité de l'organisation de ses tableaux et sa faculté d'adaptation aux mutations artistiques, sociales ou historiques qu'il a rencontrées au cours de sa longue existence sont fondamentales pour la compréhension de sa contribution à l'histoire de l'art.

Né en 1840 à Paris, où son père était un commerçant aisé, Monet a vécu au Havre à partir de l'âge de cinq ans ; la région normande devait avoir sur lui une influence essentielle sa vie durant. Il se fait connaître à ses débuts comme caricaturiste, mais vers le milieu des années 1850 il commence, encouragé par Eugène Boudin (1824-1898), peintre de paysages d'atmosphère, à travailler sur le motif, c'est-à-dire en plein air. La carrière artistique de Monet débute sérieusement avec son premier voyage à Paris en 1859. À son arrivée dans la capitale, il se lie avec de nombreux peintres du mouvement réaliste, en particulier le peintre de Barbizon Constant Troyon (1810-1865) et le jeune Camille Pissarro (1830-1903). Pendant deux ans, il reçoit sa première formation comme élève du peintre académique Charles Gleyre (1808-1874). Il y noue de nombreuses amitiés avec des artistes qui auront une influence sur son développement artistique : Pierre-Auguste Renoir (1841-1919), Frédéric Bazille (1841-1870) et Alfred Sisley (1839-1899).

Contrairement à ce qui est généralement avancé, Claude Monet connaît assez vite un certain succès dans des expositions de province, ainsi qu'au Salon de Paris, qui s'y tient tous les ans au mois de mai.

En 1865, après des excursions en forêt de Fontainebleau et sur la côte normande, à Honfleur et au Havre, où il rencontre le peintre de plein air et de paysages Johan Barthold Jongkind (1819-1891), il présente au Salon deux marines qui seront acceptées. Un portrait de sa maîtresse Camille Doncieux et un paysage seront également agréés en 1866, ainsi qu'une autre marine en 1868.

Inspiré en partie par les peintures controversées qu'Édouard Manet (1822-1883) peignait à la fin des années 1860, Monet commence à aborder des sujets inspirés par la vie moderne à Paris. En effet, la capitale connaît une extraordinaire transformation, à l'initiative du préfet de Napoléon III, le baron Haussmann. L' «hausmannisation» ouvre dans le labyrinthe des ruelles médiévales, chères à la précédente génération des poètes et des artistes romantiques, de larges boulevards bordés de grands immeubles d'habitation et d'arcades abritant des commerces. Ces changements ont entraîné le déplacement des travailleurs de la ville, qui vivaient dans de petites chambres des étages supérieurs des anciens immeubles, au-dessus des plus confortables appartements des Parisiens aisés, vers la nouvelle zone suburbaine, hors des murs de la cité. Monet, comme de nombreux artistes du milieu impressionniste, est attiré à la fois par la nouvelle ambiance des boulevards et par les banlieues où naissent de nombreux lieux de loisirs, le long des usines, sur les bords de Seine.

La technique et le style de Monet reflètent une dualité entre sa formation, née de son respect pour les réalisations de ses maîtres et de ses contemporains, et sa vision personnelle et unique, en constante évolution. Le jeune Monet synthétise la technique de plein air de Boudin et de Jongkind, théorisée par le professeur de dessin Lecoq de Boisbaudran, avec le traitement de sujets tirés de la vie contemporaine. La facture impatiente et la palette traditionnelle de ses premières œuvres venaient directement de la manière des peintres réalistes, comme Gustave Courbet (1819-1877) et les disciples de l'École de Barbizon. Mais au cours des décennies suivantes, Monet se détache du traditionnel procédé en noir et blanc, dit clair-obscur, pour aller vers la sensation de profondeur et de volume, entièrement créée par les rapports entre les couleurs. Plutôt qu'utiliser le rouge-brun foncé pour la couche d'apprêt de la peinture, typique du XIXe siècle, il commence à peindre sur des toiles enduites de blanc ou de tons beige clair pour exalter le brillant de ses couleurs. Monet fera ainsi des expériences de divers degrés de finitions durant toute sa carrière, bien qu'il n'ait pas montré au public les moins achevées de ses œuvres avant 1880. Ainsi *La Grenouillère* et la *Plage à Trouville* (Londres, National Gallery) étaient certainement des notations privées plutôt que des travaux destinés à être exposés. Toutefois, son procédé de construction d'un tableau demeura à peu près constant tout au long de sa vie. Il posait d'abord librement les principaux éléments de sa composition avec des couleurs appropriées, comme un support, et les travaillait ensuite par une succession de larges contours et de petites touches de pinceau, pour atteindre l'aspect définitif du sujet choisi. En dépit de ses allégations, ce procédé d'élaboration n'a pas toujours été utilisé sur le vif, mais plutôt plusieurs jours ou même plusieurs mois plus tard, dans son atelier, comme l'attestent des lettres datées des années 1880, adressées au marchand de tableaux Durand-Ruel.

De nombreuses vues de Paris des années 1860 adoptent des angles de vue inhabituels et mettent en scène de minuscules personnages, croqués à coups de pinceau sommaires.

dessinent avec lui dans les lieux pittoresques de banlieue, comme le restaurant flottant La Grenouillère.

En 1870, Monet et Camille se marient et font leur voyage de noces à Trouville, station de la côte normande. Lorsque éclate en 1870 la guerre franco-allemande, Monet prend la décision de partir pour Londres. De nombreux autres artistes ont fait de même et, avec eux, Durand-Ruel, marchand de tableaux renommé, qui devient très vite le mécène de Monet et des impressionnistes, et le restera tout au long de sa vie. Au cours des neuf mois passés à Londres, l'artiste peint de nombreuses vues des parcs de la ville et de la Tamise. Après avoir voyagé pendant l'été en Hollande, où il peint à Zaandam, près d'Amsterdam, il rentre en France et s'établit à Argenteuil, à l'ouest de Paris. Il y demeure jusqu'en 1878, et plusieurs de ses amis – Renoir, Sisley, Gustave Caillebotte (1848-1894) et Manet – le rejoignent pour peindre la vie de la Seine, à la fois site de navigation de plaisance, de natation, de guinguettes, en même temps qu'une zone industrielle en développement.

Durand-Ruel a toujours été un fervent acheteur des peintres impressionnistes, mais il connaît en 1873 des revers financiers. Monet et ses amis doivent alors trouver d'autres mécènes et projettent d'organiser une exposition indépendante afin de faire connaître leurs œuvres. La Société anonyme de Peintres, Sculpteurs et Graveurs tient sa première exposition en avril 1874, dans l'atelier de Nadar, photographe en vue du moment. Un critique contemporain utilisa le terme «impressionnisme» pour qualifier une vue insolite de Monet, en gris-bleu et orange, du port industriel du Havre enveloppé de brouillard, intitulée *Impression, soleil levant*. L'exposition connaît un certain succès, bien que les œuvres exposées ne se soient pas vendues au prix espéré, comme ce sera le cas en 1875 pour la vente de la collection Jean-Baptiste Faure avec des tableaux de Berthe Morisot (1841-1895), Renoir et Sisley. Monet participe aux deuxième, troisième, quatrième et septième des huit expositions impressionnistes, entre 1876 et 1884.

C'est en 1876 que Monet rencontre Ernest Hoschedé et sa femme Alice, qui devaient par la suite tenir une place importante dans sa vie. Hoschedé commande au peintre quatre panneaux décoratifs pour la pièce de réception de son château de Rottembourg, à Montgeron, près de Paris. Après la faillite d'Hoschedé et la naissance du deuxième fils de Monet en 1878, les deux couples et leurs huit enfants décident d'habiter ensemble à Vétheuil. Mais Camille, déjà souffrante, meurt à l'automne de l'année suivante. Alice Hoschedé et Monet entretiennent ouvertement des relations extraconjugales, qui ont sûrement contribué à détacher Monet de ses amis peintres et de leurs expositions.

Quoique très liés, Monet et Alice mènent des vies indépendantes. Bien qu'Ernest Hoschedé ait repris sa liberté dans les années 1880, ils ne se marieront pas avant sa mort, en 1892. Après un bref séjour à Poissy, la famille s'installe dans une nouvelle demeure, à Giverny, en 1883. Le couple, avec leurs enfants respectifs, louera cette maison jusqu'à ce que Monet puisse s'en rendre acquéreur en 1890, grâce à Durand-Ruel et à ses habiles et gratifiantes relations avec des collectionneurs. Dès lors, Monet et sa famille passeront le restant de leur vie à Giverny.

Tandis qu'Alice prend soin des enfants, Monet, pendant les années 1880, fait de fréquents voyages au cours desquels il peint des sites pittoresques de France. Il revient plusieurs fois en Normandie et sur les côtes anglaises, comme il l'avait si souvent fait, mais il choisit à présent de peindre des lieux reculés plutôt que des endroits touristiques fréquentés. Les

Parisiens en vacances à Trouville et Sainte-Adresse, qui peuplaient ses toiles des années 1860, laissent la place aux rivages battus par la tempête et aux anses rocheuses de Fécamp et de Pourville, ou au majestueux isolement en haut d'une falaise de l'église de Varengeville (entre 1881 et 1882). Il trouve un motif de choix avec les falaises tourmentées et les aiguilles d'Étretat (un sujet déjà rendu célèbre dix ans auparavant par Courbet). Il revient à Étretat en 1883, 1885 et 1886 et peint aussi plusieurs vues de Belle-Île. En 1886, Monet explore des régions plus éloignées en France, et s'en va peindre plus loin, dans les champs de tulipes de Hollande. Son attrait, durant toute sa vie, pour la lumière froide et les tempêtes côtières du Nord cohabitera avec ses recherches passionnées sur les couleurs, dans l'éclat et la chaleur de la Méditerranée. Il visite la Riviera et le midi de la France, peignant Bordighera, Antibes et Juan-les-Pins en 1884 et 1889. Il voyage également dans la vallée de la Creuse en 1889.

Les années 1880 et 1890 voient sur plusieurs points des changements dans la vie de Monet : dans le genre des sujets et les thèmes qu'il aborde, les lieux qu'il choisit, le succès et la renommée qu'il atteint. Comme beaucoup d'artistes et d'écrivains de la fin du XIXe siècle, il n'est pas entièrement satisfait par les thèmes de la modernité et de la vie urbaine. Son art est de plus en plus fixé sur un monde de réactions personnelles devant les merveilles de la nature. Une sensation de monumentalité, de qualité décorative se fait jour dans ses travaux suivants. Il est loin, le spectacle extérieur qui enchantait Manet et Baudelaire. Désormais, ses peintures offrent des espaces réservés de contemplation qui absorbent le spectateur dans leurs harmonies de couleurs et leurs compositions hardies. Elles ouvrent un monde d'évasion et de rêverie intime, rejoignant les ambitions artistiques poursuivies par les peintres et les poètes symbolistes, ainsi que par les dessinateurs de l'Art Nouveau.

Ces nouveaux sujets, s'ils étendent le champ de l'expérience du peintre, lui attirèrent aussi des acheteurs enthousiastes et des mécènes. Après l'admission au Salon de son tableau *Les Glaçons ou Débâcle sur la Seine* (1880), Monet commence une nouvelle série d'expositions, individuelles ou en groupe, avec plusieurs marchands de tableaux de l'époque. En 1883, il expose personnellement dans la galerie de son vieil ami Durand-Ruel. Il participe aux expositions collectives organisées par Georges Petit en 1885, 1886 et 1887. Ses relations avec Petit sont au plus haut avec une rétrospective de ses œuvres en 1889, qui conforte sa popularité et ses ventes de tableaux. Au retour de son voyage à Antibes, Monet expose dix peintures chez les marchands Boussot et Valadon, par l'entremise de Théo Van Gogh, qui dirige à Paris une succursale de leur maison. Il est intéressant de savoir qu'en cette période de succès, Monet refuse la Légion d'honneur. Tout en dédaignant les honneurs pour lui-même, il obtient que soient exposées dans les musées nationaux des toiles de son mentor Manet. Il organise à cet effet une souscription pour l'achat du célèbre et scandaleux tableau, *Olympia,* en 1865.

Dans les années 1880, Monet, tout à ses recherches artistiques, fait de nombreux voyages de travail, essentiellement consacrés aux études préliminaires des grandes séries des années 1890. Dans ces séries, Monet choisit des sites et des sujets particulièrement attachants, comme les meules, les peupliers le long de l'Epte ou la cathédrale de Rouen, qui sont autant de peintures reproduisant le même motif à différentes saisons et dans des conditions diverses de lumière. Ces séries forment la matière des expositions publiques de Monet dans la dernière décennie du XIXᵉ siècle. Ainsi, il expose quinze toiles consacrées aux meules lors d'une exposition individuelle chez Durand-Ruel en 1891. Au cours des années suivantes, il exposera d'autres séries thématiques : les peupliers chez Durand-Ruel en 1892, la façade de la cathédrale de Rouen en 1893, la première série sur le jardin aquatique en 1900, des vues de Londres en 1904, et quarante-huit peintures de nymphéas, connues sous le nom de «paysages d'eau», en 1898. Les vues de Venise sont exposées dans la galerie de Bernheim-Jeune en 1912.

Dans les années 1890, un autre grand projet lui tient à cœur : la création d'un jardin d'eau à Giverny. Dès qu'il a acheté la maison, il met en chantier la réalisation d'un grand jardin fleuri, présentant toutes les nuances et les variétés de fleurs, véritable palette florale. En 1893, il a l'occasion d'acquérir un second terrain, de l'autre côté de la route et du chemin de fer traversant alors sa propriété. En 1901 et 1910, il agrandit l'étang et le cours d'eau primitifs et obtient la permission d'ouvrir un fossé pour amener de l'eau de l'Epte. Puis c'est la construction d'un pont de bois de style japonais à l'une des extrémités de l'étang. Ce dernier aménagement deviendra son dernier sujet, qu'il peindra chaque jour durant vingt ans.

La série des nymphéas débouche tout naturellement sur le dernier grand projet de Monet : la décoration de l'Orangerie. La peinture décorative avait témoigné d'une extraordinaire renaissance dans le dernier quart du XIXe siècle, tant dans les milieux officiels que dans les cercles artistiques privés. Lors du banquet de remise des prix du Salon de 1879, Jules Ferry, ministre des Beaux-Arts et de l'Éducation, avait prôné la décoration de tous les édifices publics de France. Mairies, écoles, églises et musées étaient décorés de vastes compositions murales célébrant la IIIe République. Cette renaissance de l'art décoratif va donc être encouragée par des mécènes fortunés, qui commandent de nombreuses peintures pour l'ornement des salons de leurs villas. De même, beaucoup de restaurants renommés, comme Maxim's et le Train Bleu, ce dernier établi dans la gare de Lyon à l'occasion de l'Exposition universelle de 1900, ornent leurs salles à manger d'ensembles décoratifs d'une élégance Belle Époque. Des artistes en vue de tous les mouvements esthétiques du moment sont sollicités pour exécuter ces décorations, depuis le groupe des Nabis, avec Pierre Bonnard (1867-1947) et Édouard Vuillard (1868-1940) jusqu'aux peintres académiques du Salon comme Albert Besnard (1849-1934) et Henri Gervex (1852-1929).

Le président du Conseil Georges Clemenceau fut un grand amateur et un ardent défenseur de la peinture de Monet. Afin d'atténuer la profonde douleur de son ami, consécutive à la mort de sa seconde épouse Alice en 1910 et de son fils aîné Jean en 1914, il l'encourage fortement à entreprendre une colossale œuvre décorative inspirée par le jardin d'eau. Pour cela, Monet fait construire un atelier spécial dans son jardin pour pouvoir y peindre des œuvres de proportions monumentales. En 1918, il décide d'en faire don à l'État. Bien qu'affecté d'une double cataracte, il travaille sans relâche à son œuvre, jusqu'à sa mort en 1926. L'ensemble est tout d'abord installé dans un pavillon construit spécialement dans le parc de l'hôtel Biron (actuellement le musée Rodin), mais en 1921, il sera décidé de le transférer dans l'Orangerie du jardin des Tuileries, près du Louvre. L'architecte Camille Lefèvre dessine alors deux salons ovales pour abriter les peintures, salons ouverts au public le 16 mai 1927.

Claire O'Mahony

Vin de Bordeaux (1857)

Paris, musée Marmottan. Celimage.sa / Lessing Archive

Cette toile est l'une des premières œuvres de Monet. C'est comme caricaturiste qu'il commença sa carrière et c'est comme tel qu'il obtint un succès local, à partir de 1856. L'intention de ces dessins était de caricaturer certains personnages, souvent ses maîtres, de façon burlesque et parfois irrévérencieuse. Dans *Vin de Bordeaux,* l'artiste y parvient parfaitement, en représentant une tête d'homme complètement disproportionnée, émergeant d'une bouteille de vin. Son visage est celui d'un clown : joues roses, large sourire et touffes de cheveux cotonneuses, disposées de façon grotesque de part et d'autre du front. Monet adoptera un procédé similaire pour d'autres caricatures, comme le *Dandy au cigare* (v. 1857-1858) et le *Petit Panthéon théâtral* (v. 1857-1860).

À dix-sept ans, le jeune artiste tirait déjà profit de son travail. *Vin de Bordeaux* a été exécuté l'année de la mort de sa mère, juste avant de quitter l'école, entre 1855 et 1857, pour réaliser son ambition de devenir peintre. Ses habiles dessins satiriques étaient exposés dans la vitrine d'un marchand de couleurs local et attiraient une foule de spectateurs admiratifs. Ses succès de caricaturiste retardèrent le début de la carrière de Monet comme peintre de paysages.

Un coin d'atelier (1861)

Paris, musée d'Orsay. Celimage.sa/Lessing Archive

En 1861, la fréquentation de Monet à l'Académie Suisse est interrompue par son appel au service militaire. Il est incorporé dans les Chasseurs d'Afrique et affecté en Algérie. Il peint la même année *Un coin d'atelier.*

Cette œuvre donne un aperçu complexe et intime de la vie personnelle de l'artiste. C'est l'une des premières peintures de Monet où il fait encore montre de conformisme, tant dans sa palette que dans son sujet. Elle représente le traditionnel cabinet de travail d'un bourgeois respectable, avec des livres, des armes et des objets d'art évoquant la culture et un statut social élevé. Très différent de ses premières caricatures et des paysages ultérieurs, c'est là un travail d'allure plus réaliste qu'impressionniste, car Monet se cantonne encore dans un cadre artistique officiel. Il se montre très attentif au détail, comme en témoigne l'exécution soignée du tapis et du papier peint. Les pages du livre sont froissées, pour donner l'impression qu'il a été feuilleté et lu. Il se dégage de ce tableau une ambiance d'authenticité, et l'on y trouve déjà l'intrinsèque beauté propre à de nombreuses œuvres de l'artiste.

Nature morte : pavé de bœuf (1864)

Paris, musée d'Orsay. Celimage.sa/Scala Archives

Pavé de bœuf semble presque hors du contexte des œuvres de Monet. On y reconnaîtra cependant, et c'est là l'important, une des tentatives de l'artiste pour faire reconnaître son talent. Cette nature morte, comme d'autres produites au début des années 1860, est très conformiste dans sa forme et son contenu. Elle était uniquement destinée à plaire au milieu officiel de l'Art et Claude Monet espérait atteindre le succès par une démarche des plus traditionnelles.

D'un point de vue artistique, elle présente toutefois des aspects intéressants. Le contraste marqué entre cette pièce de viande rouge crue et le fond sombre sur lequel elle est placée est d'une force singulière, bien que la palette soit limitée à ces deux couleurs principales. L'aspect est austère, les détails soignés et l'exécution habile. Monet avait déjà obtenu le même effet dans sa nature morte *Trophée de chasse* (1862), par une composition élaborée et un traitement détaillé du sujet.

Bien que les natures mortes de Monet soient peu nombreuses, ces deux œuvres confirment l'habileté du peintre et sa confiance croissante en ses moyens. La qualité du rendu global confirme qu'il était, à cette époque, déterminé à assimiler les principes fondamentaux de l'art par une formation traditionnelle.

LA VAGUE VERTE (1865)

New York, Metropolitan Museum of Art. Celimage.sa / Lessing Archive

Ce tableau est balayé par une vague d'un vert profond et Monet entraîne le spectateur sur sa trajectoire, près d'un bateau luttant contre le courant. En arrière et à l'horizon, des voiles grises signalent le passage d'autres embarcations.

La Vague verte est d'un style très différent de celui des autres marines des années 1870, comme *Bateaux de plaisance* (1872) et *Chasse-marée à l'ancre à Rouen* (1872). Dans ces deux œuvres, les bateaux sont placés à l'arrière-plan et une perspective dégagée s'étend entre l'horizon et la mer. L'eau y est rendue avec un réalisme inquiétant. Dans *La Vague verte,* celle-ci est une masse de couleur uniforme, ourlée d'un blanc éclatant, pour évoquer la résistance de l'eau aux bateaux. Ces touches de blanc rehaussent vivement la peinture, alors que le reste du tableau est traité avec un mélange de gris, peut-être pour suggérer l'imminence de la tempête.

La Vague verte illustre la théorie selon laquelle la lumière peut être comparée à une vague, constituée d'une large gamme de différentes nuances de vert. Le vert vif employé par l'artiste dans cette œuvre est différent des bleus et des gris rencontrés dans d'autres tableaux du même genre.

LE DÉJEUNER SUR L'HERBE (1865)

Moscou, musée Pouchkine. Celimage.sa/Scala Archives

Ce n'est pas le sujet de ce tableau qui offrit matière à controverse, mais plutôt la façon dont Monet l'a traité. Il fut commencé pour être présenté au Salon de 1866, dans l'intention d'y faire sensation. Mais sa grande dimension fit qu'il ne fut pas terminé à temps et Monet abandonna son projet. Cette œuvre inachevée représente une scène plutôt conventionnelle de pique-nique dans un bois. Cependant, l'artiste a tenté de traiter les personnages comme s'ils faisaient partie intégrante du paysage. Il ne narre pas une anecdote, ainsi qu'en atteste sa composition excentrée. Par ce procédé, l'œil n'est attiré par aucun élément en particulier et les personnages s'intègrent tout naturellement dans leur environnement. L'artiste a simplement voulu créer une sensation de spontanéité, comme s'il ne voulait saisir qu'un moment, en donnant aux protagonistes de la scène des poses simples et naturelles. Une femme recompose sa coiffure, une autre va poser un plat sur la nappe. Le réalisme était très inhabituel à cette époque et l'influence de Manet est sensible dans cette œuvre. Cependant, Monet, en évitant d'utiliser le nu, par trop sujet à controverse, voulait éviter le jugement moral dont Manet avait fait l'objet avec son *Olympia*.

Le Pavé de Chailly, forêt de Fontainebleau (1865)

Paris, musée d'Orsay. Celimage.sa/Lessing Archive

Cette œuvre est riche en couleurs et en détails. Le regard du spectateur est placé au niveau du sol, au ras des feuilles. Au premier plan s'imposent des arbres aux troncs distincts, d'autres se rejoignent en masses confuses, au point de fuite situé au centre du tableau. Monet décrit ici un paysage désert, et le chemin rectiligne accentue cet effet. Il ne s'y manifeste aucun signe de vie animale, ce qui paraît étrange dans une peinture de forêt.

Les feuilles tombées à terre sont traitées avec un grand soin du détail. Quelques-unes sont ponctuées de taches blanches qui les font luire sous le soleil. Elles forment contraste avec celles, plus sombres, qui les entourent et semblent danser, légères, sur le sol.

Le tronc de l'arbre à droite a également été exécuté avec soin. Ainsi, aux endroits où l'écorce est trouée ou pourrie, Monet a employé des couleurs plus sombres.

Pour le rendu des arbres, il a utilisé une brosse pour placer des touches de couleur plus claire dans la masse des feuilles, ce qui peut être perçu comme un frisson de lumière s'insinuant sous la voûte de la frondaison. Le tableau paraît décrire une scène matinale.

Dans le lointain, le feuillage s'étendant vers la gauche perd progressivement détails et couleurs, jusqu'à former un bloc épais gris-brun, disparaissant à l'horizon. Monet crée ainsi un très bel effet de perspective, qu'accentue un ciel morne d'une teinte uniforme.

FEMMES AU JARDIN (1866)

Paris, musée d'Orsay. Celimage.sa/Lessing Archive

Camille Doncieux posa pour les quatre femmes du tableau, portant chaque fois des robes différentes de location, car Monet, impécunieux, ne pouvait acquérir de tels vêtements! Il présenta cette toile, peinte à Ville-d'Avray, au Salon de 1867, mais elle fut refusée. Des artistes comme Daumier et Manet ne l'apprécièrent pas.

Avec *Femmes au jardin,* Monet entendait souligner deux points selon lui très importants. En premier lieu, les compositions de grandes dimensions étaient traditionnellement réservées aux peintures à sujets historiques ou religieux, comportant un message moral adressé au spectateur. En peignant un grand tableau (255 x 205 cm) représentant une banale scène moderne, il assignait à ces moments du quotidien, décrits de façon réaliste, une place égale dans le monde des arts que celle accordée à des sujets traditionnels.

Le second point avait trait à la spontanéité dans l'art et l'exacte reproduction de ce que l'artiste a sous les yeux. Au lieu de dessiner le sujet, puis de le compléter en atelier, Monet exécutait entièrement le tableau *sur le motif,* c'est-à-dire sur place. Cela devint la technique dite de *plein air.* Son souci de réalisme était tel qu'il avoua : «J'avais creusé un trou dans la terre, une sorte de fosse, pour enfouir progressivement ma toile lorsque j'en atteignais le haut.»

Jeanne-Marguerite Lecadre
au jardin (1866)

Saint-Pétersbourg, musée de l'Ermitage. Celimage.sa/Lessing Archive

Jeanne-Marguerite Lecadre au jardin est une autre œuvre dans le style de Manet. On y retrouve le concept du personnage isolé dans son environnement, que Monet avait déjà tenté de saisir avec *Femmes au jardin* (1866). Dans cette dernière toile, les femmes forment un groupe, mais semblent éloignées les unes des autres. Ici, l'artiste va plus loin, et son personnage est solitaire dans le jardin.

Cette sensation de solitude est renforcée par la place du modèle, à l'extrême gauche du tableau. Car de façon insolite, c'est un arbre qui occupe le centre de la toile et non le personnage, très éloigné du point focal du centre. C'est le même effet de composition décentrée que dans *Femmes au jardin,* où trois femmes sont placées à gauche du centre du tableau. De ce fait, le spectateur a de la peine à toutes les embrasser du regard. Cette même difficulté à focaliser se retrouve dans *Jeanne-Marguerite Lecadre au jardin,* car des taches de couleur déplacent le regard des fleurs jaunes aux fleurs rouges, puis vers la robe blanche.

La technique de l'emploi de zones de couleur, utilisée dans *Femmes au jardin,* est reprise ici avec plus de vigueur. Le ciel est presque une portion solide de bleu, la robe un bloc de blanc et l'herbe une bande de vert. Ce qui aplatit la perspective de l'ensemble.

CAMILLE AU PETIT CHIEN (1866)

Zurich, collection privée. Celimage.sa/Lessing Archive

Ce portrait intime est l'un des rares portraits montrant Camille dans une pose formelle. Bien que son visage ne soit pas représenté de façon précise, ses traits sont cependant reproduits avec des détails qui font défaut à plusieurs autres toiles dont Camille fut le modèle.

Il est intéressant de noter la différence entre la pose prise ici par Camille et celle de *La Liseuse* (1872). Dans *Camille au petit chien,* Monet a voulu se borner à un portrait de Camille : aucun détail en arrière-plan ne vient distraire le regard, car la jeune femme est tout entière le centre de l'attention de l'artiste. Son profil est rehaussé par le fond sombre. Les coups de pinceau rapides sur le chien à poils longs contrastent avec le soin apporté au visage et montrent que Monet a voulu faire du personnage son unique point d'intérêt. Ce n'est pas le cas avec *La Liseuse.* Là, l'arrière-plan et même la robe du sujet sont peut-être plus importants que ses traits. Camille y est peinte comme une partie du décor, presque comme un élément accidentel du paysage.

Dans *La Liseuse,* la pose de Camille, le visage penché sur son livre, ne permet pas de bien distinguer ses traits. Dans *Camille au petit chien,* elle regarde fixement devant elle, et l'on peut deviner son caractère à son port de tête et à son air détendu.

La Charrette, route sous la neige à Honfleur (1865)

Paris, musée du Louvre. Celimage.sa / Lessing Archive

En 1865, Monet expose pour la première fois avec succès deux toiles, dont celle-ci, au Salon de Paris. C'est un tournant important dans sa carrière. L'autre toile est une marine peinte à Honfleur.

La Charrette, route sous la neige à Honfleur offre de la ville une vue depuis sa route d'accès. C'est un jour d'hiver, mais l'atmosphère n'est ni sombre ni triste, comme le sont souvent les paysages de neige du peintre. Il y a dans le ciel une lueur qui semble produite par le soleil, encore invisible. Le blanc de la neige n'est guère assombri par la masse des maisons ou de la charrette et l'effet d'ensemble est assez clair.

Bien que cette toile date de ses débuts, on décèle déjà dans sa technique les éléments que l'on retrouvera plus tard chez l'artiste. Des touches courtes créent des contrastes d'ombres et de blanc sur la neige et la route. Monet indique également les lignes parallèles imprimées dans la neige par les roues de la charrette et le fossé sur le côté de la route. Cet emploi des lignes et des formes dans le paysage prendra une grande importance dans ses travaux ultérieurs.

PORTRAIT D'HOMME (1865)

Zurich, Kunsthaus. Celimage.sa/Lessing Archive

Ce portrait en pied est celui de Victor Jacquemont, un aquarel-liste et graveur qui travaillait pour plusieurs journaux de l'époque. Il a été répertorié sous des titres divers et il est difficile de connaître son exacte dénomination. Aussi est-il simplement connu comme *Portrait d'homme*.

L'influence de Manet y est clairement perceptible, comme dans d'autres œuvres de Monet de cette période. Le défaut d'ombre détaillée sur le visage montre qu'il a été peint avec des couleurs contrastées franches. Pour le corps, Monet commence par du blanc pour les souliers. Puis il passe au gris pour le pantalon, avec une petite ombre marquée aux genoux et aux chevilles. Ensuite, du brun pour la veste et le gilet, et une teinte chair pour le visage. Les tons ne sont pas variés, aussi le person-nage paraît-il plaqué sur la toile. Les effets de lumière ou d'ombre sur le parapluie ne sont pas marqués.

Monet a utilisé une technique semblable pour *Camille sur la plage* (1870-1871). Toutefois, il l'a menée dans cette dernière toile à sa conclusion logique. Les coups de pinceau sont plus épais et la peinture est étalée plus grassement. Il s'est concentré là unique-ment sur la couleur, de telle sorte que les traits du visage de Camille ne se distinguent plus. Le ciel est d'une seule couleur solide et la mer peu variée.

Bateaux de pêche, Honfleur (1866)

Bucarest, musée national d'Art. Celimage.sa/Lessing Archive

Ce qui frappe dès l'abord dans cette peinture, c'est l'emploi inhabituel et audacieux de la couleur. Monet a appliqué une peinture épaisse, créant des zones de couleurs franches sur les bateaux, ce qui les fait «sortir» du tableau et les impose à l'attention. Il s'en dégage, en même temps, une impression générale de stabilité. Les reflets des coques des bateaux sur l'eau ne créent aucune ride, comme s'ils étaient posés sur la terre ferme plutôt que sur un milieu liquide. Les couleurs employées pour les bateaux – vert, blanc, rouge, orange et noir – rappellent les Fauves. En effet, André Derain, illustre représentant du Fauvisme, est renommé pour les touches de couleur hardies et brillantes qu'il a employées pour créer des images vivantes et frappantes.

Autour des blocs de couleur des quatre bateaux, un brun trouble et assez dilué définit l'eau, tandis qu'un brun plus foncé, rehaussé de touches plus sombres, détaille les voiles. La composition est placée sur un fond blanc, lui aussi audacieux dans son utilisation.

Bateaux de pêche, Honfleur ne s'inscrit pas à proprement parler dans le style profondément impressionniste qui se manifeste dans les tableaux de jardin de Monet, et ses autres peintures de bateaux ou de marines. Dans *Bateaux de plaisance* (1872), par exemple, les embarcations sont éloignées du spectateur, dont l'intérêt se porte plutôt sur l'eau et son rendu réaliste. Dans *Bateaux de pêche, Honfleur,* leurs lourdes masses de couleur attirent le regard vers leurs coques. Par sa diversité et son habileté artistique, Monet montre ici sa quête incessante de l'innovation, par des variations dans la technique, le style ou le matériau.

GLAÇONS SUR LA SEINE
À BOUGIVAL (1867)

Paris, musée d'Orsay. Celimage.sa/Lessing Archive

La composition de cette œuvre et sa date d'exécution suggèrent que Monet est ici fidèle à la technique utilisée pendant son séjour en Normandie. Trois ans auparavant, il avait été absorbé par des paysages de neige, mais dans un style différent.

L'œuvre est pratiquement monochrome, avec de légères variations de gris et de blanc pour évoquer un sombre jour d'hiver, mais contraste avec le traitement de la Seine en hiver d'une toile comme *La Seine à Bennicourt, hiver* (1893), où l'éventail des couleurs est plus étendu ; dans cette dernière, les touches de jaune et de bleu clair ajoutent des tons plus chauds. De plus, l'emploi des différentes couleurs en petites touches séparées crée une atmosphère étendue à toute la toile. Dans *Glaçons sur la Seine à Bougival,* la technique est davantage appliquée aux touches tonales, afin de créer un solide ensemble de couleurs.

Les rangées d'arbres verticales sur la gauche forment un écran qui se reflète dans l'eau. On peut reconnaître dans les couleurs claires et l'interprétation simpliste du paysage une réminiscence de l'art japonais, très en vogue à cette époque.

TERRASSE À SAINTE-ADRESSE (1867)

New York, Metropolitan Museum of Art. Celimage.sa/Edimedia

Le manque d'argent contraignit Monet à revenir dans la maison familiale et il y peignit cette vue depuis une des chambres du premier étage. L'homme assis est son père. Le gendre de Monet déclarera plus tard que l'amour de celui-ci pour les fleurs lui venait de ses parents. Comparée à d'autres peintures précédentes, beaucoup plus spontanées, cette œuvre apparaît très composée, presque artificielle.

Monet parlera plus tard de ce tableau comme d'une «peinture chinoise avec des drapeaux». À cette époque, les termes «japonais» et «chinois» étaient souvent confondus. Il acheta plusieurs estampes japonaises et leur influence est sensible dans cette peinture. Les drapeaux dominant la scène partagent le tableau en trois bandes horizontales – la terrasse, la mer et le ciel – tout en lui conférant un équilibre vertical.

Les personnages de dos évitent à la composition de paraître trop conventionnelle. Les bateaux soulignent leur importance dans la vie du port et donnent à la scène un caractère de modernité. Leurs silhouettes dans le lointain sont strictement géométriques et contribuent au style oriental de l'œuvre. Alors que le ciel est traité à plat, la mer montre des signes de la fascination exercée sur Monet par ses teintes changeantes. Cet attrait se manifestera fortement dans des travaux ultérieurs.

LA ROUTE DEVANT
LA FERME SAINT-SIMÉON (1867)
Celimage.sa / Lessing Archive

La neige était un sujet qui intéressait beaucoup les peintres impressionnistes, pour les effets qu'elle créait avec la lumière et la modification qu'elle apportait au paysage. Dans ce tableau, Monet manifeste son goût particulier pour les effets changeants de lumière, opposant le blanc de la neige à des taches plus sombres, généralement sous forme de débris ou dans les branches des arbres. Au fond, une masse sombre de silhouettes d'arbres plus hauts semble cerner le paysage de façon inquiétante.

On voit ici que l'approche de Monet dans ses paysages de neige des années 1860 et 1870 est différente du contraste marqué qu'il fera des couleurs dans *Norvège, les maisons rouges à Bjørnegaard* (1895). En effet, dans ce dernier tableau, le blanc accentue le rouge des maisons et le bleu du ciel.

Le traitement de la couleur dans cette peinture a pour effet de rendre le paysage sombre et désolé. Cette manière sera abandonnée dans les paysages d'eau de Giverny. Le ciel gris sombre donne une indication du moment de la journée : c'est peut-être le début de la soirée. L'application de la peinture semble assez rapide.

La Plage à Sainte-Adresse (1867)

Chicago, The Chicago Art Institute. Celimage.sa / Lessing Archive

Le style de cette peinture est exceptionnel chez Monet, et par plusieurs aspects. Tout d'abord, le spectateur est placé directement sur la plage pour assister à la scène, alors que Monet se place en général en vue plongeante. L'attitude des personnages est également notable : ici, ils s'offrent presque directement au regard, alors qu'habituellement ils sont dépourvus de caractère, simples silhouettes colorées dans le tableau. Autre aspect nouveau : l'attention portée aux détails. Des galets sont visibles dans le sable, la couleur de l'eau et du sable varie suivant leur éloignement. Les bateaux sont également très détaillés, ainsi que les maisons éloignées. Les nuages sont particulièrement réalistes.

La composition est l'un des traits agréables de ce tableau. Bien que la scène paraisse très animée, avec les nombreux bateaux disposés sur l'eau et l'apparente activité des trois hommes, debout près d'une embarcation sur le rivage, la place assignée à chaque chose dans l'ensemble rappelle la série des plages de l'artiste. Les falaises sont placées sur la gauche, et la scène est vue de droite à gauche, comme dans *Barques de pêche devant la plage* et *Les Falaises de Pourville* (1882), et *La Plage à Pourville, soleil couchant* (1882).

CAMILLE SUR LA PLAGE (1870-1871)

Paris, musée Marmottan. Celimage.sa/Lessing Archive

Ce sujet est traité simplement. Le personnage pose sur la plage, à proximité du spectateur et face à lui, mais ses traits ne sont pas perceptibles, si ce n'est une très légère indication du nez et des yeux. Ce pourrait être une femme anonyme, sans caractère.

Un autre portrait de Camille (*Camille au petit chien,* 1866), plus abouti, est très différent de celui-ci. S'il représente Camille de profil, son visage est révélé dans ses détails. Ses vêtements sont traités minutieusement et la jeune femme livre d'elle-même une image conforme à sa réalité. Le manque de détails dans *Camille sur la plage* est peut-être dû à l'apparence imparfaite qui apparaît par places dans la composition. Cela n'indique pas forcément que le travail ait été inachevé, mais le défaut de signature peut accréditer cette opinion. Monet n'a pas signé toutes ses œuvres, mais, dans ce cas, il semble bien qu'il n'ait pas terminé son tableau.

Les coups de pinceau sont posés en couches épaisses, visibles à l'œil nu. Il se dégage de l'ensemble une spontanéité surtout évidente dans le traitement de la mer, peinte en quelques traits et avec seulement trois couleurs.

Sur la plage à Trouville (1870-1871)

Paris, musée Marmottan. Celimage.sa/Lessing Archive

Peint au cours de vacances avec Boudin, ce tableau représente les épouses des deux artistes sur la plage de la populaire station touristique de Trouville. Le choix du sujet traduit le désir de Monet de peindre des scènes modernes et il a choisi de montrer ce lieu familial de façon peu conventionnelle.

Tout d'abord, les deux femmes sont en premier plan très rapproché. Cette technique est à l'opposé de celle qu'il utilisa pour *La Plage à Trouville* (1870). Il en résulte pour le spectateur une curieuse sensation d'intrusion dans une scène intime, et cet inconfort est accentué par le rapport entre les deux personnages. L'espace central entre eux est vide, aucune des deux femmes ne semble faire cas de la présence de l'autre. Leurs traits ne sont pas détaillés, ce qui les place dans une sorte d'anonymat. De même, les autres personnages marchant sur la plage ne sont pas peints dans le détail.

À l'arrière-plan, d'autres touristes sont, eux aussi, esquissés de façon imprécise. Cela, combiné avec des traits de pinceau rapides et épais, ajoute à la spontanéité de l'œuvre. Dans les deux tableaux, Monet se fait le défenseur de la technique de plein air.

JEAN MONET ENDORMI (1868)

Copenhague, Ny-Carlsberg-Glypothek. Celimage.sa/Lessing Archive

C'est un portrait du fils de l'artiste, Jean Monet, sensible et tout empreint d'affection. Il fut achevé en 1868, alors que l'enfant avait seulement deux ans. Jean a figuré souvent dans les paysages de son père, parfois avec Camille ou seul, mais plus dans son jeune âge qu'à l'âge adulte.

Ce portrait est intimiste et peint avec soin dans le détail et le choix de la matière picturale. La palette est adoucie et adaptée au sujet. Les blancs et les bleus pâles, les gris et les roses sont éclaircis sur les traits du visage. L'enfant repose paisiblement dans son sommeil.

On peut, par ailleurs, constater dans *Jean Monet endormi* une évolution dans le style de l'artiste. À cette époque, Monet était très à l'aise dans le maniement des touches épaisses et des accumulations de couleurs constituant des zones solides dans ses tableaux. Cela se remarque particulièrement sur le visage de Jean, où d'épais traits de pinceau de couleur claire sont étalés avec assurance, pour recouvrir ses courbes.

Monet prête peu d'attention aux vêtements de l'enfant, ce qui n'est pas le cas dans d'autres portraits, comme *La Japonaise* (1875). Cependant, ceux de Michel Monet et des portraits de Camille confirment un manque d'intérêt général pour le détail. Il y a, en revanche, une certaine douceur dans la façon dont Monet a traité ses portraits de famille.

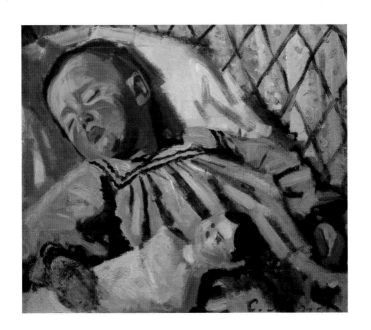

Hôtel des Roches Noires, Trouville (1870)

Paris, musée d'Orsay. Celimage.sa/Lessing Archive

Dans cette toile, comme dans d'autres décrivant Trouville, Monet cherche à démontrer le bien-fondé du concept de *plein air.* La représentation sommaire des personnages et l'application hâtive de la peinture donnent à l'œuvre sa spontanéité. C'est là le but de bon nombre sinon de toutes les peintures impressionnistes de Monet, dont le propos était de saisir un moment fugace, comme le fait aujourd'hui une caméra, et de le fixer sur la toile. Il voulait transcrire librement les composantes essentielles d'un sujet, comme la lumière dans le ciel, les reflets dans l'eau ou le mouvement des personnages. Il y parviendra par une série de coups de pinceau courts et rapides, et des contrastes de couleurs et d'ombres, caractéristiques de la manière impressionniste.

Avec *Hôtel des Roches Noires, Trouville,* Monet parvient à rendre parfaitement la vie et la lumière. Un drapeau flotte dans le coin gauche de la toile et l'éclat du soleil est rehaussé par la blancheur des vêtements et les masses plus sombres placées dans l'ombre. Les nuages semblent des rubans blancs dans le ciel.

Cette œuvre communique curieusement au spectateur la sensation d'entrer dans le tableau, tout en restant étranger à ce que font les personnages.

BATEAUX DE PLAISANCE (1872)

Paris, musée d'Orsay. Celimage.sa/Edimedia

La plaisance était un passe-temps très populaire en France au XIXe siècle. À l'époque, bien des gens travaillant dans les villes passaient leurs week-ends à visiter leur région ou le bord de mer, où ils faisaient du bateau.

Pour Monet, ces scènes de plaisance représentaient le désir d'un Français moyen de dialoguer avec la nature. Pour cette raison, ses peintures sont fréquemment dépourvues de personnages et paraissent traduire des moments particuliers. Dans ce tableau, un couple solitaire, aux silhouettes imprécises, se tient sur le quai. Dans *Chasse-marée à l'ancre* (1872), il n'y a qu'un seul homme à bord du bateau et sa solitude est accentuée par la taille de celui-ci. Les deux œuvres accordent un grand espace au ciel, ce qui ajoute à l'insignifiance des personnages.

Avant qu'il se rende à Argenteuil, Monet ne peignait que des bateaux marchands ou de service. *Chasse-marée à l'ancre* montre l'un de ceux-ci. Une fois à Argenteuil, Monet ne produisit plus que rarement des marines de ce type et *Bateaux de plaisance* est un exemple des œuvres de cette période.

TRAIN DANS LA CAMPAGNE (1870-1871)

Paris, musée d'Orsay. Celimage.sa/Lessing Archive

Dans les années 1800, Monet peignit plusieurs tableaux représentant un pont de chemin de fer et un train, en particulier pendant ses séjours à Argenteuil. Le train lui-même y apparaissait souvent très peu, sa présence n'étant signalée que par les volutes de fumée s'échappant de la machine.

Dans *Train dans la campagne,* le paysage et les personnages du premier plan tiennent une plus large place. La majeure partie du train est cachée par la cime des arbres et la fumée de la locomotive est très estompée par les nuages. Les wagons et les personnages sont peints en noir, comme des silhouettes sur le fond clair du ciel.

L'horizon bien défini et le blanc brillant des vêtements des personnages, que l'on retrouve dans les nuages et le ciel clair, permettent l'équilibre des tons dans l'ensemble de la composition. L'éclat du vert employé pour l'herbe indique la position du soleil qui, à son tour, crée des contrastes en projetant les ombres des arbres et des wagons, à contre-jour dans le lointain.

L'œuvre dénote aussi un changement dans la touche et l'application des couleurs. Les feuilles des arbres et les vêtements des personnages sont exécutés à coups de pinceau plus fournis et plus courts, alors que le pré herbeux du premier plan est coloré d'une épaisse couche de vert.

Moulin à Zaandam (1871)

Copenhague, Ny-Carlsberg-Glyptothek. Celimage.sa/Lessing Archive

L'un des éléments les plus subtils et intéressants de ce tableau, ce sont les oiseaux dans le ciel. Ils sont inhabituels dans les œuvres de Monet, dont les ciels sont généralement dégagés, à l'exception des nuages. Dans *Moulin à Zaandam,* le ciel est morne, avec de petites traînées de gris représentant les nuages, et cette tonalité se reflète dans l'eau.

Bien qu'il y ait des personnages dans le tableau, ils ne constituent pas le centre d'intérêt de l'ensemble et, comme d'habitude chez Monet, les couleurs choisies pour les décrire se retrouvent dans les scènes de l'arrière-plan. Le moulin sur la berge, à gauche de la toile, focalise l'attention.

Le tableau comporte trois vives couleurs principales – vert, rouge, noir – aux ombres fortement marquées. Le spectateur est placé au niveau de l'eau, dominé par le moulin. Monet impose, au premier plan, la forte présence des roseaux par des traînées de peinture fermes et épaisses, et anime leurs reflets tremblants dans l'eau grise.

NATURE MORTE AU MELON (1872)

Lisbonne, musée Gulbekian. Celimage.sa/Lessing Archive

Monet a peint très peu de natures mortes. Cette étude de fruits est traitée à la manière de ses paysages, par une composition structurée autour de plans parallèles.

Nature morte au melon n'est pas traitée par niveaux, bien que cette technique soit présente dans la composition. Le mur du fond forme une bande de couleur, la nappe, occupée en partie par le compotier placé à mi-hauteur et à gauche de la toile, crée un autre espace coloré, qui couvre partiellement la table. Ces zones de différentes couleurs déterminent dans le tableau de solides espaces géométriques. Ainsi, on peut distinguer facilement un triangle à l'endroit où le bois rencontre la nappe et le cadre ; de même, le mur forme un rectangle.

Ces formes géométriques sont interrompues par les fruits et les plats, points focaux de la composition. Ce n'est pas un hasard si Monet a choisi des fruits ronds. En effet, les volumes du melon, des grappes de raisin, des pêches, ainsi que la rondeur des plats, contrastent avec les formes géométriques des plans sur lesquels ils sont placés. Leur traitement en couleurs variées et la lumière forte qui les éclaire les met en relief sur leurs fonds respectifs, et l'harmonie de l'ensemble est ainsi établie.

ARGENTEUIL (1872)

Paris, musée d'Orsay. Celimage.sa/Edimedia

Argenteuil est une peinture légère et aérée, agréablement construite par une combinaison de lignes fines et complexes et une palette froide et mélangée. En opposition avec certaines de ses œuvres antérieures, peintes sur une surface rouge mêlée de brun foncé, Monet emploie dans celle-ci des couleurs pures, appliquées directement sur une toile préparée avec une couche de blanc. Ce procédé rehausse la luminosité de chaque couleur.

Monet décrit ici un lieu paisible, où deux hommes travaillent, à bord de bateaux stationnés sur le fleuve. Des lignes légères délimitent très sobrement ces éléments. L'artiste a apporté quelque soin aux maisons blanches dans le lointain et les fenêtres ont été soulignées par de fines lignes noires. Cependant, les silhouettes des hommes sont imprécises et le détail du paysage se perd à l'horizon en petites traînées de couleur.

La Gare d'Argenteuil (1872)

Cergy-Pontoise, Conseil général du Val-d'Oise. Celimage.sa/Lessing Archive

Argenteuil fut pour Monet un cadre familier, qu'il aima représenter dans ses séries de peintures ayant les gares et les ponts de chemin de fer pour sujet. Cette toile semble combiner son intérêt premier pour la peinture impressionniste avec quelques effets assez inhabituels. De fait, de tels empâtements de couleur ne sont pas fréquents chez l'artiste. Ici, les gris dominent sa palette et surtout ils sont appliqués d'une façon nouvelle et expressive. Son usage de cette couleur produit un effet intéressant, la perspective du train étant déformée par le mélange des gris. En revanche, le rouge et le brun suffisent à camper les bâtiments de la gare. Des taches de bleu apparaissent dans les masses des nuages, traités dans des variations de gris lourds et de gris clairs. De simples zones d'ombres, également chargées de gris, suggèrent l'horizon.

Cette peinture est clairement d'une veine impressionniste. Car si les détails du train, au premier plan, sont assez nettement dessinés, il est certain que Monet n'avait pas l'intention de donner une représentation achevée des personnages et des architectures. Ils sont simplement évoqués par des contours imprécis.

Monet donne une interprétation nouvelle et intéressante d'un thème déjà traité, par une combinaison de couleurs et un style inattendus.

LA FALAISE DE SAINTE-ADRESSE (1873)

Japon, collection privée. Edimedia

Dans cette marine, Monet s'est limité à l'essentiel, afin de créer une impression générale. Aussi ne voit-on pas de détails dans la mer ou le rivage, mais simplement des touches de couleur. On peut rapprocher cette toile d'une autre marine, *Étretat, la plage et la falaise d'aval,* peinte plus de dix ans plus tard, en 1884, dont il se dégage une tension perceptible entre la terre et la mer.

Ici, la baie étire sa courbe profonde sur tout le tableau. Les contours arrondis des falaises communiquent à toute la toile une sensation de quiétude, absente d'*Étretat, la plage et la falaise d'aval,* car, dans cette dernière, le promontoire déchiqueté de la falaise, la plage et la surface de la mer agitée forment un ensemble exaltant. *La Falaise de Sainte-Adresse,* elle, est teintée d'un lavis jaune couvrant la terre et la plage, qui crée une lumière chaude reflétée par le ciel.

Les peintures de la côte normande furent exposées en 1898. Elles connurent un grand succès auprès du public et se vendirent bien.

Boulevard des Capucines (1873)

Kansas City, Nelson-Atkins Museum. Celimage.sa/Lessing Archive

Sensible à la modernité de la ville, Monet montre ici un Paris affairé et en mouvement, dont il s'est attaché à traduire la nature et les vibrations fugaces. Loin de décrire la foule avec un luxe de détails, il l'évoque par des petites touches. Cette facture se retrouve dans *La Plage à Trouville* (1870), où les personnages, également décrits sommairement, animent une station touristique, autre sujet contemporain.

Dans cette œuvre spontanée, fondée sur l'instantanéité de la scène, Monet étudie aussi les effets de la lumière, en éclairant le ciel d'une lueur pâle, un blanc mêlé de jaune, qui se reflète sur la rue. Les personnages ne sont guère que des taches, ce qui leur vaudra d'être qualifiés de «lichettes noires» par le féroce critique Leroy. Un autre tableau décrivant le même boulevard en été était placé à côté de celui-ci, afin que les spectateurs puissent juger des différents effets de la lumière du soleil à deux saisons différentes.

Dans *La Plage à Trouville,* Claude Monet s'était placé au niveau de son sujet, aussi tous les éléments sont-ils à l'échelle et la foule des promeneurs est imprécise. Ici, la scène est vue de haut et les passants, plus distincts, communiquent à ce large boulevard et aux grands immeubles qui le bordent l'aspect trépidant d'une métropole.

CAMILLE MONET (1872)

Paris, musée Marmottan. Celimage.sa/Lessing Archive

C'est là l'un des nombreux portraits que Monet fit de sa femme Camille. Il l'acheva plusieurs années après la mort de cette dernière. Dans cette œuvre particulièrement sensible et émouvante, l'artiste fait un usage vibrant d'une palette froide, encore inspirée de travaux antérieurs, plus sombres.

Cette toile qui fait pénétrer dans l'intimité du couple saisit une attitude toute spontanée et familière de la jeune femme, une expression naturelle et libre sur son visage. Dans le même temps, Monet tenter d'y rendre les effets de la lumière. Ici, les bruns plus sombres et comme brumeux de l'arrière-plan contrastent avec les bleus et les blancs brillants des vêtements. Sa chevelure et ses yeux noirs constituent un point focal saisissant.

On pourrait se plaire à relever des comparaisons et des ressemblances entre ce portrait et d'autres, exécutés par l'artiste à d'autres moments. Alors que dans *Camille sur la plage* (1870-1871) et *La Capeline rouge, portrait de madame Monet* (1873) il paraît avoir saisi son modèle à son insu, il y a ici une expression plus intime, qui établit une relation entre le spectateur et le sujet. Bien que Camille soit souriante, son expression a quelque chose de triste et de distant. Elle est dans son monde intérieur et nous y attire, en créant à son égard un courant de sympathie.

LA ZUIDERKERK, AMSTERDAM (1872)

Philadelphie, Philadelphia Museum of Art. Celimage.sa/Edimedia

Il existe une certaine confusion au sujet de la date de cette œuvre. Monet a visité la Hollande pendant l'été 1871, mais la toile est datée de 1872. On retient généralement, malgré cela, qu'elle fait partie, avec une autre datée de la même année, d'une série de 1871.

La composition est centrée sur la flèche de l'église, avec le canal s'étendant devant elle. Sur la droite s'élèvent les grands édifices d'Amsterdam. Sur les quais et le pont, des personnages sont représentés par de simples petits coups de pinceau. Les reflets des immeubles sur l'eau sont traités uniquement en touches jaunes, sans aucun détail. Il en est de même dans *Le Parlement, coucher de soleil* (1900-1901), où les reflets des bâtiments sont représentés par une large tache sombre sur l'eau.

La comparaison entre ces deux peintures montre qu'avant 1904 Monet se soucie moins de marquer des limites entre les bâtiments et l'eau. Dans *Le Parlement, coucher de soleil,* il est difficile de discerner où se terminent les architectures et où débutent les reflets, alors que dans *La Zuiderkerk, Amsterdam,* l'eau est clairement séparée de la masse des bâtiments. Cette toile est construite autour d'un axe central et constituée de solides blocs de couleur. Celle de Londres, en revanche, est nimbée d'une brume qui enveloppe le sujet et empêche d'en avoir une vue précise.

IMPRESSION, SOLEIL LEVANT (1873)

Paris, musée Marmottan. Celimage.sa/Lessing Archive

C'est de cette peinture qu'est née l'appellation «impressionnisme». La toile figurait à la première exposition organisée par la Société des peintres, sculpteurs et graveurs en 1874. Monet était l'un des membres fondateurs de cette association, créée pour battre en brèche le monopole exercé par le Salon sur la vie artistique française.

Le critique Louis Leroy écrivit dans *Le Charivari* un article dans lequel il forgea le terme impressionnisme, inspiré par le titre de l'œuvre. En dépit de l'intention ironique de cette qualification, le groupe décida de l'adopter, et des artistes comme Renoir et Degas se montrèrent heureux d'être qualifiés d' «impressionnistes». De fait, l'art de ces peintres consistait à saisir sur la toile la lumière et la couleur d'un instant fugace, généralement avec de brillantes couleurs appliquées en petites touches, posées côte à côte sans se mêler. Et c'est cet idéal que partageaient nombre de peintres, las de la routine académique.

Paradoxalement, *Impression, soleil levant* n'est pas caractéristique du travail de Monet, même si la toile comporte des éléments de son style habituel. L'horizon a disparu, la mer, le ciel et leurs reflets sont confondus. Les édifices et les bateaux de l'arrière-plan sont devenus des formes vagues et le soleil domine le tableau. Ainsi que l'avouait Monet lui-même : «Cela pourrait passer pour une vue du Havre.» C'est qu'il n'entendait pas restituer un paysage dans ses détails, mais seulement la sensation produite par le paysage.

Les Coquelicots, Argenteuil (1873)

Paris, musée d'Orsay. Celimage.sa/Lessing Archive

Cette scène de campagne contraste avec les peintures que Monet avait exécutées précédemment, surtout celles consacrées à des sujets urbains. Sa douceur paisible reflète la chaleur d'un jour d'été. Les personnages se mêlent à leur environnement, s'y confondent presque. Le corps du garçon du premier plan est enfoui dans l'herbe et le vêtement de la femme se marie, à droite, avec les taches plus sombres de l'herbe.

Les personnages se fondant dans l'arrière-plan de campagne illustrent bien le concept de Monet sur la nature. Pour lui, celle-ci ne doit pas servir l'homme, car il en fait partie intégrante. D'ailleurs, les personnages au premier plan de ce tableau n'en sont pas le principal point d'intérêt. S'ils attirent le regard et le conduisent vers l'autre groupe du fond, c'est sous le simple effet de l'étendue des coquelicots qui monte en pente douce vers l'horizon. Car l'élément dominant de l'œuvre, ce sont, sans nul doute, les coquelicots.

Peintes de façon presque abstraite, les taches de rouge s'imposent immédiatement au regard. Pourtant, plus de la moitié du tableau est consacrée au ciel dont le bleu limpide tranche sur le rouge des fleurs. Ici, c'est le paysage et non l'homme qui est le véritable sujet du tableau.

LE DÉJEUNER (V. 1873-1874)

Paris, musée d'Orsay. Celimage.sa/Lessing Archive

Cette toile ne souleva pas la même controverse que *Le Déjeuner sur l'herbe* (1865), alors qu'elle est conduite de la même façon. Dans les deux tableaux, aucun élément n'attire l'attention en particulier. En revanche, les personnages sont parfaitement partie intégrante de leur environnement naturel. Les deux femmes sont presque cachées par les branches pendantes d'un arbre. La robe jaune de l'une d'elles, dont les petites touches se retrouvent de façon identique sur l'arbre, est en quelque sorte enveloppée dans sa forme et sa couleur. C'est là une technique familière à Monet pour donner leur unité à tous les éléments du tableau.

Le Déjeuner est l'un des plus célèbres tableaux de Monet. Le peintre y fait l'éclatante démonstration d'une technique impressionniste raffinée, propre à rendre vibrante l'atmosphère de ce jardin. Pourtant Monet n'a voulu saisir qu'un simple moment fugitif, juste avant que les deux femmes ne se déplacent vers la table pour déjeuner. Cette scène intimiste pourrait à la limite paraître naïve, car le spectateur n'est guère concerné par une action si peu intéressante. Mais, comme souvent chez Monet, c'est la profusion des couleurs qui la rend si éminemment captivante.

Le Pont du chemin de fer, Argenteuil (1874)

Paris, musée d'Orsay. Celimage.sa/Lessing Archive

Le pont du chemin de fer à Argenteuil intéressa beaucoup Monet pendant son séjour dans cette petite ville, car il incarnait à ses yeux la rencontre de la modernité et de la nature. Il l'a toujours peint traversé par un train, dans des volutes de fumée. Cette explosion d'énergie contraste avec le calme de l'eau ; entre eux, le pont fait le lien entre les deux mondes.

Cette toile est différente des *Déchargeurs de charbon* (1875), le pont apparaissant là comme une barrière sociale séparant les ouvriers des passants qui le franchissent. Dans la peinture représentée ici, la masse solide du pont contraste avec les couleurs diluées de l'eau où, par endroits, les touches sont appliquées sommairement. Mais lorsque Monet veut y décrire les variations de la lumière, ses traits de pinceau se font plus denses et plus précis, en particulier pour indiquer le mouvement de l'eau sous le pont.

La tonalité générale des *Déchargeurs de charbon* est plus sombre et les couleurs y sont employées de façon répétitive, pour créer une ambiance générale de tristesse. Dans *Le Pont du chemin de fer,* il n'y a pas à proprement parler de couleur ou de tons dominants ; chaque partie du tableau a sa propre coloration, complémentaire de sa voisine, dont elle est cependant distincte. Ainsi, le jaune verdâtre de l'herbe a sa valeur propre par rapport au gris du pont, mais ces deux zones de couleurs se complètent.

AU PONT D'ARGENTEUIL (1874)

Paris, musée d'Orsay. Celimage.sa/Edimedia

De nombreuses peintures d'Argenteuil ont pour sujet des bateaux, et celle-ci en est un exemple classique. La plaisance était un passe-temps populaire des Parisiens à cette époque, et le bon sens commercial de Monet lui dictait le choix de ce type de sujet, qui se vendait bien. L'ensemble est une scène paisible, baignée d'une atmosphère limpide. Les couleurs s'harmonisent pour créer une vue très plaisante.

Lorsqu'il lui faut dépeindre la surface de l'eau baignée de lumière ou les arches du pont qui s'y reflètent, Monet use d'un mélange de couleurs et de lignes adjacentes créant un effet translucide. Le pont sur la droite est un effet de composition que l'on retrouve dans plusieurs de ses œuvres de cette époque. Ici, les lignes des arches assurent l'équilibre géométrique des reflets dans l'eau.

Les Déchargeurs de charbon (1875) donnent une version très différente du fleuve et du pont. Il s'en dégage une forte impression d'énergie, et le pont, imposant sa sombre présence sur toute la moitié supérieure du tableau, fait naître le trouble, voire l'inquiétude. Ici, en revanche, l'eau est calme et le pont ne perturbe pas la sérénité ambiante.

LE PONT D'ARGENTEUIL (1874)

Saint Louis, Art Museum. Celimage.sa/Edimedia

C'est le pont de chemin de fer qui donne à ce paysage tout son caractère. Il domine le tableau de sa présence et forme une solide structure transversale.

Les buissons et la figure féminine, tous deux aux volumes émoussés, forment un contraste très marqué avec les lignes droites du pont. Dans le même esprit, le vert de l'herbe est frais et naturel par rapport au gris du pont. Monet exprime ici la rencontre de la modernité en marche avec la tradition immuable. La ligne du pont est reprise par celle de l'horizon. Cependant, le monde naturel et le monde industriel ne sont pas réunis de la même façon que dans *Waterloo Bridge, effet de brouillard* (1902). Dans cette œuvre, l'eau et le ciel se mêlent, et le centre d'intérêt n'est pas le pont mais la tache de lumière sur l'eau. La cheminée qui ferme l'horizon à l'arrière-plan contribue à l'équilibre du tableau.

Il est intéressant de noter que dans la toile présentée ici, l'angle de vue depuis le pont, choisi par Monet, lui évite de représenter les usines, théoriquement situées sur la gauche. Pour *Le Pont d'Argenteuil,* il a voulu clairement montrer que l'industrie ne fait pas bon ménage avec la nature. Cependant, avec *Waterloo Bridge* il ne pourra éviter cette confrontation.

FEMME ASSISE SUR UN BANC (1874)

Londres, Tate Gallery. Celimage.sa / Lessing Archive

Dans cette peinture, une femme impose sa présence. Pourtant, elle n'est pas en harmonie avec son environnement, car Monet l'a située sur un fond de lignes heurtées, un banc et des arbres. Mieux, il l'a délibérément vêtue d'une délicate robe rose et blanche, qui l'isole fortement du cadre ambiant, pour faire de son modèle le point focal du tableau.

L'ombrelle, le chapeau et la robe dénotent la femme élégante. Monet utilise ces éléments comme des formes et des lignes solides, aux masses géométriques. Il y a peu d'effets d'ombre sur le vêtement, comme d'ailleurs dans le reste du tableau. La place importante prise par la femme est équilibrée par les lignes horizontales régulières du banc et les verticales du feuillage derrière elle. On a souvent comparé la manière de cette toile à celle de Manet.

Si le banc paraît un écran vert sans relief, c'est que la perspective et la profondeur n'ont guère d'importance dans cette œuvre. Car l'impression d'ensemble, par l'usage de formes et de lignes très marquées, prend le pas sur toute autre considération.

LES DÉCHARGEURS DE CHARBON (1875)

Paris, musée d'Orsay. Celimage.sa/Edimédia

Peinte près d'Argenteuil, cette toile est unique dans l'œuvre de Monet : c'est en effet la seule qui montre des travailleurs à l'ouvrage. L'espacement régulier et le nombre d'hommes se déplaçant sur les planches traduisent la dureté de ce travail à la chaîne. L'époque est à la mécanisation industrielle et ces hommes aux mouvements réguliers en font partie, au même titre que les machines. Sur le pont, c'est un autre monde, une autre classe sociale qui passe nonchalamment. Ce sujet et son traitement rompent avec les peintures idylliques de bateaux de plaisance de la même époque, aux tons frais et lumineux. Ici, la palette de couleurs sombre engendre le pessimisme. Il se dégage toutefois de cette œuvre une harmonie et un équilibre, renforcés par l'usage très apparent de lignes horizontales et verticales. Le pont forme un solide réseau de lignes croisées qui donne un cadre net à l'ensemble.

Le déplacement des travailleurs sur les planches en légère montée introduit d'autres perspectives en diagonale. L'effet d'ensemble de toutes ces lignes crée un rythme dans le tableau, qui s'anime d'une vie propre.

LA JAPONAISE (1875)

Boston Museum of Art. Celimage.sa/Edimedia

Présentée à la deuxième Exposition impressionniste, cette toile marque une brusque rupture avec le style adopté par Monet au long de la précédente décennie. Elle fit sensation à l'époque. La critique loua ses couleurs franches et son empâtement vigoureux.

Elle rappelle *Camille ou la femme à la robe verte* (1866), peinte dans un style apprécié du Salon. Monet manquait cruellement d'argent à l'époque, et l'on avance qu'il choisit délibérément de peindre une pose conventionnelle, qui pouvait avoir une forte chance d'être vendue et lui attirer peut-être un nouveau mécène. Monet savait très bien quels étaient les sujets et les styles «vendeurs», et le choix de plusieurs de ses sujets «faciles» lui fut sans doute dicté par la nécessité.

La composition soignée et la pose de Camille sont ici loin de la spontanéité que l'artiste avait tenté d'exprimer lors de précédents travaux. Sous sa perruque blonde, la jeune femme n'est guère naturelle. On admirera cependant la robe magnifique et le guerrier samouraï représenté sur le devant, dont les traits grimaçants contrastent avec la douceur du visage du modèle. L'intérêt de Monet pour l'art japonais, qui avait influencé nombre de ses œuvres précédentes, se fait encore sentir à cette époque.

Un coin d'appartement (1875)

Paris, musée d'Orsay. Celimage.sa/Lessing Archive

Monet expérimente dans cette peinture l'usage d'un cadre pictural entourant le sujet. Il reprend la forme des rideaux et des plantes du premier plan dans celle des rideaux du fond. Ce cadre a pour double but d'attirer le regard sur le devant du tableau et de renforcer la perception du sujet. En éclairant bien le cadre par rapport au sujet, l'artiste accentue l'obscurité de la pièce.

C'est là une véritable recherche sur la lumière et l'ombre. Dans un tableau peint en 1873, *La Capeline rouge, portrait de madame Monet,* le personnage, bien éclairé et vêtu de couleurs vives, contraste avec l'intérieur obscur. Ici, Jean Monet, placé au centre, est l'un des éléments les plus sombres du tableau ; le reflet clair du parquet à ses pieds l'accentue encore.

Isolé dans la pièce, Jean Monet est éloigné de la femme assise à une table. C'est un personnage troublant, car il est peint très sombrement et regarde fixement le spectateur. Mme Monet a le même regard, mais chargé d'affection. L'enfant, dont la taille est exagérément petite, donne l'impression d'être vulnérable, car les hautes plantes semblent prêtes à l'engloutir.

CHAMP DE COQUELICOTS (1885)

Rouen, musée des Beaux-Arts. Celimage.sa/Lessing Archive

Dans ses paysages, Monet use fréquemment de couleurs vives, et c'est bien le contraste des rouges et des verts de sa palette qui, d'emblée, attire ici le regard. Cette éclatante journée d'été, avec son ciel bleu et sa végétation en fleurs, vibre d'une lumière qui met de la vie dans tous les détails.

Champ de coquelicots est peint à coups de pinceau fins et serrés, qui soulignent le détail des fleurs. En revanche, des touches plus longues, plus généreuses et plus lâchées servent à décrire les champs et le ciel à l'arrière-plan. Ainsi, le regard peut s'étendre sans heurts, depuis la concentration de couleurs du premier plan jusqu'au lointain, plus lisse et plus reposant.

Comme bien d'autres paysages de Monet, *Champ de coquelicots* doit être vu de loin pour être pleinement apprécié. L'artiste a délibérément modifié ses coups de pinceau afin de créer une ample perspective.

Les maisons du village sont mêlées aux arbres et se fondent dans la nature. C'est chez Monet une technique récurrente. Ainsi, dans *Le Déjeuner sur l'herbe* (1865) et *Le Déjeuner* (v. 1873-1874) par exemple, les personnages disparaissent presque dans les arbres qui les entourent.

Les Femmes au milieu des fleurs (1875)

Prague, Narodni Galerie. Celimage.sa/Lessing Archive

Femmes au milieu des fleurs est une œuvre témoin, car elle constitue une éclatante démonstration du talent de Monet. L'emploi exubérant des couleurs est confondant. Les deux femmes sont totalement absorbées par un flot de couleurs vives et l'on est tenté de comparer cette parure florale au vigoureux assemblage de couleurs ornant les personnages des tableaux et collages de Gustav Klimt.

Cette toile est un exemple parfait du style impressionniste de Monet. Des touches courtes et rapides donnent aux fleurs de la vie ; elles sont mises en valeur par des traits de différentes couleurs placés côte à côte, et par l'absence de variations tonales.

Regarder cette peinture de trop près fait risquer de se perdre dans un puzzle de couleurs et de touches. Pour être pleinement goûté, ce tableau doit être regardé avec quelques pas de recul.

On ne saurait dire si le sujet de cette toile porte sur les femmes ou les fleurs, car aucun des deux thèmes ne prend le pas sur l'autre. Mais si les fleurs sont traitées avec éclat, le détail des robes et les expressions des femmes sont réduits au minimum, afin de ne pas altérer le caractère naturaliste du tableau.

ARGENTEUIL (1875)

Celimage.sa/Lessing Archive

Argenteuil a servi de cadre à de nombreuses peintures de Monet. Ce tableau présente la même juxtaposition de couleurs rencontrée très souvent dans son œuvre. On la trouve ici avec le rouge du bateau et le vert de la mousse. Ces deux surfaces vives tranchent sur le bleu pâle de l'eau. Des ombres plus légères de vert et de bleu sont réfléchies dans le ciel, mettant de la continuité dans la peinture.

Contrairement à son habitude dans ses paysages d'eau, l'artiste a représenté des personnages, que l'on distingue sur un petit quai de pierre, à gauche du tableau. Les couleurs utilisées pour eux sont reprises dans leur environnement et ils sont pleinement incorporés à leur cadre. C'est manifestement une interprétation délibérée de l'artiste, qui a choisi d'utiliser la même palette et les mêmes touches pour fondre des personnages vivants dans un cadre naturel. Mais on peut aisément en faire abstraction. Par ailleurs, un autre personnage se trouve sur le bateau le plus rapproché. Les formes de tous les personnages sont floues et Monet a choisi, puisqu'elles sont près de l'eau, de teinter de vert leurs vêtements, pour les accorder au ton de la mousse flottant sur l'eau.

Les deux bateaux rouges du centre servent de principal point d'attraction du tableau. Dans *Argenteuil,* la couleur est partout et cette œuvre, pourtant limpide, en est tout entière baignée.

L'ESCALIER (1878)

Japon, collection privée. Celimage.sa/Lessing Archive

Cette œuvre, d'abord acquise par un acheteur américain, fut ensuite rachetée par le collectionneur Durand-Ruel. Grâce à lui, l'Amérique se révéla un marché profitable pour les impressionnistes, qu'il fit connaître par des expositions.

L'intérêt de *L'Escalier* réside dans son sujet et sa composition. Les marches sont accueillantes, et le porche offre un coup d'œil attirant sur la cour. Cette ambiance est très différente de celle de *Vétheuil* (1901), où la ville est vue de loin, au-delà d'une étendue d'eau. L'escalier est une vue rapprochée, intimiste et attrayante, d'un bâtiment dans lequel pénètre le spectateur. Le sujet de cette toile, une banale maison rurale, est inhabituel. Bien des peintures de Monet représentent des édifices à l'architecture moderne ou gothique, ou encore des vues de groupe éloignées, comme dans *Vétheuil*.

De chaudes couleurs roses ou dorées s'allient au bleu du ciel pour évoquer une belle journée d'été. L'ombre tombant sur le coin inférieur gauche du tableau n'en diminue pas la chaleur.

Pommiers près de Vétheuil (1878)

Celimage.sa/Lessing Archive

Ce tableau est une vue sur la vallée de Vienne-en-Artheis. C'est un échantillon de ces scènes d'inspiration rurale produites par Monet pendant son séjour à Vétheuil. Aucun signe de modernisme n'apparaît dans le tableau, dont des pommiers sont le principal centre d'intérêt.

Ceux du premier plan sont traités par touches courtes et de différentes couleurs, pour créer un effet de lumière sur les fleurs. Les coups de pinceau s'allongent au fur et à mesure que Monet peint le paysage qui s'éloigne vers la vallée. Ces touches plus longues ont pour effet de mêler les couleurs et d'estomper les lignes, ce qui donne plus de précision aux arbres du premier plan au regard de ceux de la vallée.

Le critique Philippe Birty vit ce tableau chez Durand-Ruel, exposé parmi d'autres œuvres de Monet. Il porta sur elle le jugement suivant : « C'est de loin que ces peintures doivent être jugées, et celui qui les voit de près ne perçoit qu'un mélange confus, posé sur une surface ressemblant à l'envers d'une tapisserie des Gobelins, avec un usage excessif de jaune de chrome et de jaune orangé. »

Cette idée que les œuvres de Claude Monet sont mieux vues avec un certain recul, voire de loin, persiste chez les critiques contemporains.

Extérieur de la gare Saint-Lazare, vue vers le tunnel des Batignolles (1877)

France, collection privée. Celimage.sa/Lessing Archive

Fer de lance de l'essor industriel triomphant, le chemin de fer figure une fois de plus dans cette toile, à une période où Claude Monet s'attache à la description de Paris, cité trépidante et en plein développement. Du reste, tous les impressionnistes ont traité de la modernité industrielle, particulièrement sur les bords de Seine.

Monet décrit ici une scène très animée. Le tableau est presque entièrement dominé par d'envahissants nuages de fumée, à travers lesquels on peut reconnaître un train en marche, une foule de voyageurs et des grands bâtiments à l'arrière-plan, autant de symboles expressifs de l'ère industrielle. Pour traduire cette dynamique, Monet travaille par touches fines, afin de créer une sensation de mouvement et de vitesse. En regardant de plus près, on peut aussi découvrir la façon dont l'artiste a obtenu avec la matière un effet presque granuleux, particulièrement sensible le long des rails et des bâtiments de la gare. Comme dans *Boulevard des Capucines* (1873), Monet réduit les personnages à d'indistinctes formes noires, avec une absence complète de détails.

Le tableau est empreint d'une grande spontanéité, car l'artiste a saisi là une scène fugace, qui certes peut se répéter au fil des jours, mais jamais de façon identique.

La Gare Saint-Lazare, les signaux (1877)

Hanovre, Niedersächsisches Landesmuseum. Celimage.sa/Lessing Archive

Monet préférait peindre des paysages de campagne, plus paisibles que les architectures modernes des villes. Ainsi, *La Gare Saint-Lazare, les signaux* est-il un exemple assez rare de ce type de sujet chez l'artiste, qui n'a représenté que peu de gares de chemin de fer.

Ici, la palette, obtenue par un mélange de couleurs composé expressément pour ce sujet, est à dominante grise et terne. Cependant, cette couleur est appliquée de façon très différente de celle généralement utilisée dans les paysages. Ici, la peinture est posée vigoureusement, en touches moins serrées et plus précises.

Le ciel domine toute la composition. Monet obtient un effet intéressant, comme s'il avait posé la peinture sur un lavis, en volutes blanches sur presque tout le tableau. Le reste du ciel présente des touches de rouge et de bleu, complémentaires du gris, couvrant des objets et des bâtiments. Cependant, et de façon inhabituelle, ces tons ne sont pas reproduits sur le sol, qui demeure teinté d'un brun doré.

L'Église à Vétheuil, neige (1879)

Paris, musée du Louvre. Celimage.sa/Edimedia

Peint depuis la rive opposée du fleuve, ce tableau à l'ambiance sombre diffère beaucoup d'autres œuvres peintes en été par Monet à Vétheuil. La palette est très restreinte et tire peu de relief du blanc et des couleurs foncées. *Le Jardin de Vétheuil* (1881), très différent, montre combien le choix des couleurs a été réduit ici.

En accord avec ce choix strict de couleurs, Monet applique de façon rigoureuse les règles de la symétrie. La rive forme une solide ligne horizontale, reprise par la haie qui la surmonte, contrebalancée par la verticalité du clocher et des peupliers. Les bâtiments campent leurs formes massives, avec un assemblage de formes rectangulaires, carrées ou triangulaires. Dans *Le Jardin de Vétheuil,* la maison, la véranda et l'escalier ont des formes semblables, qui tendent à reproduire l'équilibre des lignes horizontales et verticales. Cependant, celui-ci est rompu par le jardin, la forte masse des arbres dominant le bloc rigide des maisons.

Ici, la lourdeur des architectures est atténuée par les touches courtes utilisées pour exprimer la fluidité de l'eau, et l'effet produit par la surface plate de la berge enneigée s'en trouve adouci.

PORTRAIT DE MICHEL MONET BÉBÉ (1878–1879)

Paris, musée Marmottan. Celimage.sa/Lessing Archive

Ce portrait a été exécuté peu après la naissance de Michel, fils de l'artiste. Il a encore les joues dodues d'un nourrisson, bien qu'il ait déjà beaucoup de cheveux. En quelques touches rapides, Monet parvient à donner de son fils une image très ressemblante, il le fait d'ailleurs dans les autres portraits de l'enfant.

Cette facture, qui tend à donner du sujet une impression d'ensemble plutôt que d'en donner un portrait détaillé, rompt avec la manière précédente de Monet. En effet, le peintre traite les portraits de cette époque à la façon de ses paysages. Il peindra plusieurs portraits de son fils pendant cette période. Sa famille avait jusqu'alors fourni des modèles pour les personnages de ses paysages. Mais à partir de 1880, il les inclut de moins en moins dans ses toiles, préférant les traiter en portraits individuels.

Celui de Michel est de caractère intimiste, ressemblant mais sans recherche de pittoresque. Ici, le style est différent de celui du *Portrait de Poly* (1886), où Monet a surtout cherché à exprimer la personnalité du modèle.

PORTRAIT DE JEUNESSE
DE BLANCHE HOSCHEDÉ (1880)

Rouen, musée des Beaux-Arts. Celimage.sa/Lessing Archive

Blanche Hoschedé avait quatorze ans lorsque ce portrait fut exécuté. Elle a les attraits de son âge, avec ses joues roses, ses yeux brillants et ses lèvres rouges. Elle est en quelque sorte un archétype de jeune fille. Monet a peint de nombreux portraits de sa grande famille à cette époque ; en revanche, les membres de celle-ci figurent peu dans ses paysages.

Ce portrait est très différent de celui de Camille, peint quatorze ans plus tôt. Son style est plus proche de l'impressionnisme de l'artiste. Les coups de pinceau sont plus visibles, alors que dans *Camille au petit chien* (1866), ils ne sont perceptibles que sur l'animal. Dans tout le tableau, un mélange de couleurs crée un effet de flou, surtout notable sur le vêtement de Blanche. Bien que les formes soient nettes, elles ne sont pas décrites avec autant de précision que pour Camille. Blanche est représentée sur fond de papier peint ; de ce fait, son visage ne domine pas le tableau comme celui de Camille.

Les couleurs employées ont des tons adoucis de pastel, mais le rouge du chapeau attire le regard. Cette couleur met en évidence les lèvres rouges du sujet, mais distrait aussi l'attention du spectateur du reste du visage. Blanche est peinte comme une partie de l'ensemble, Camille comme une entité à part entière.

Portrait de Michel en bonnet à pompon (1880)

Paris, musée Marmottan. Celimage.sa/Lessing Archive

Michel, le second fils que Monet avait eu de Camille, avait deux ans à l'époque de ce portrait. L'incertitude initiale de Monet sur sa paternité avait alors disparu. Ce portrait, avec celui de Jean Monet (1880), témoigne de l'amour qu'il portait aux enfants, et aux siens tout particulièrement. Dans ce portrait de Michel, l'enfant pose assis, apparemment tranquille. Les coups de pinceau rapides sur le vêtement rouge et le rose des joues donnent à penser que Monet désirait donner l'impression d'une facture très libre. Cela semble évident si on la compare à celle, par touches plus courtes, du portrait de Jean. Bien que les traits de Michel soient reconnaissables, le nez, les lèvres et les yeux ne sont pas décrits avec autant de détails que pour son frère.

Le fond de ces deux peintures n'a pas de caractère précis. Il se résume à une couche de couleur foncée, appliquée de façon neutre, pour faire véritablement des enfants les centres d'intérêt, à l'inverse de certains portraits de femmes élégantes, où le fond et les vêtements sont aussi détaillés que leur visage et leur corps.

Portrait de Jean Monet (1880)

Paris, musée Marmottan. Celimage.sa / Lessing Archive

Jean Monet avait environ treize ans lorsque son père peignit de lui ce portrait. Il avait déjà fréquemment figuré dans des paysages, seul ou avec Camille, sa mère. Cependant, il n'y était guère plus qu'une silhouette d'enfant.

Cette œuvre, entièrement consacrée à Jean, a l'ambition de traduire sa personnalité. Ses traits sont tracés avec soin et il est présenté de face. Par comparaison, dans le *Portrait de madame Gaudibert* (1868), le visage de la femme est tellement de biais qu'il en est presque caché ; ses vêtements et son intérieur sont autant de signes de son appartenance à la haute société parisienne. Ici, l'intimisme du *Portrait de Jean Monet* est évident.

Il est vrai que le style de Monet a changé au cours des années séparant ces deux portraits. Les touches se sont faites plus épaisses et il ne craint pas d'employer des blocs de couleur solidement posés sur la toile. En traitant le vêtement de Jean, Monet est bien loin des nuances variées dont il s'était servi pour peindre la robe de Mme Gaudibert.

La Seine à Vétheuil (1879)

Rouen, musée des Beaux-Arts. Celimage.sa/Lessing Archive

La Seine à Vétheuil, couverte d'un léger voile bleu pâle, avec un arbre silhouetté en taches noires, est une toile empreinte de rêverie et de mystère. Les personnages en sont complètement absents. Le style impressionniste et le traitement imprécis des objets créent une scène dépourvue de tout élément non naturel. L'horizon est difficile à discerner et l'on y chercherait en vain un point de repère.

La Seine est décrite de façon sobre, dans une tonalité sombre, bien que le tableau présente un remarquable équilibre dans la composition et les tonalités. L'artiste incorpore avec bonheur les différents éléments du sujet. Suivant une technique familière, il entrelace les touches de couleur des arbres, de l'eau et du ciel, qui se répondent les unes aux autres et créent un équilibre intrinsèque et implicite.

Comme beaucoup d'autres paysages ou de marines, cette œuvre gagne à être regardée à distance afin de mieux en apprécier les qualités esthétiques et artistiques. Vue de trop près, on ne saurait lui rendre justice. L'emploi de coups de pinceau plus longs mêle les couleurs et crée une continuité que l'on ne peut ressentir qu'en s'éloignant de plusieurs pas.

CAMILLE MONET SUR SON LIT DE MORT (1879)

Paris, musée d'Orsay. Celimage.sa/Lessing Archive

Ce tableau, qui représente Camille, la femme tant aimée de l'artiste, sur son lit de mort, est bouleversant. En de multiples circonstances, Monet a peint sa femme, dont les traits offraient un mélange parfait de calme et de beauté. Dans ce portrait, Camille est représentée avec une délicate prévenance et un grand respect. Sur la droite brille une lumière légèrement reflétée sur l'oreiller qui soutient la tête de Camille. Ce jaune rosé pâle ajoute encore à la douceur du sujet.

Mais par ailleurs, Camille n'est presque pas reconnaissable dans ce portrait, car Monet emploie dans tout le tableau et sur le visage une même couleur, déclinée en nuances subtiles. Les longs coups de pinceau enveloppant la tête de la défunte donnent l'impression qu'elle est absorbée ou étouffée par le lit sur lequel elle repose. Ses traits ne sont pas nets et c'est tout juste si l'on s'aperçoit, en regardant de plus près, que ses yeux sont clos et sa bouche très légèrement entrouverte.

Le choix des couleurs, approprié à l'ambiance de la pièce, confère une sorte d'angélisme à l'ensemble.

Barques de pêche devant la plage et les falaises de Pourville (1882)

Bordeaux, musée des Douanes. Celimage.sa/Lessing Archive

Pour peindre ce tableau, Monet a au préalable recherché avec soin le meilleur point de vue. On rapporte qu'on le vit escalader falaises et rochers, en emportant cinq ou six toiles avec lui. Cette façon de procéder était en accord avec ses conceptions sur la technique de plein air, quoique, dans la réalité, il achevât la plupart de ses tableaux dans son atelier.

Barques de pêche devant la plage et les falaises de Pourville et *La Falaise de Sainte-Adresse* semblent manquer de la spontanéité évidente que l'on trouve dans d'autres peintures, bien que les nuages, dans le premier tableau, semblent avoir été peints sur place. La toile montre des bateaux de pêche, sujet qui lui était déjà familier au temps où Monet habitait Argenteuil. Ici, le personnage sur le bord du rivage paraît détaché du spectacle des bateaux en mer. Cet isolement est accentué par la séparation soigneuse de chaque élément. Des lignes marquées séparent le rivage de la mer, et la mer du ciel. Il n'y a pas de flou non plus dans les séparations dans ce tableau, mais chaque élément est clairement différencié de son voisin.

CHEMIN DANS LES BLÉS
À POURVILLE (1882)
Celimage.sa / Lessing Archive

Le plus notable dans ce tableau, ce sont les couleurs, vives et brillantes. Le bleu de la mer rappelle certaines peintures méditerranéennes de Monet et il a cherché ici à saisir les effets d'une éclatante journée d'été sur le rivage.

En utilisant des couleurs vives en contrastes plutôt qu'en mélanges, il rend chacune d'elle plus éclatante encore. Ainsi, là où le rouge du blé côtoie le bleu de la mer, chaque élément tire profit de la couleur de l'autre ; il en est de même à l'endroit où la mer rencontre le rivage. Et à cette heure, le soleil a pour effet de rendre le sable d'un blanc plus brillant. Ces blocs de couleurs s'assemblent pour créer une forte impression sur le spectateur, car le dessin comporte peu de détails.

Ce tableau est partagé en plusieurs zones délimitées par des lignes aux tracés nets, qui forment des horizontales et des verticales. Le sentier attire le regard vers la mer ; il décrit une courbe qui jouxte le sable et se poursuit vers l'horizon. Celle-ci équilibre la ligne horizontale formée par la mer et la falaise.

Bouquet de soleils
ou Les Tournesols (1880)

New York, Metropolitan Museum of Art. Celimage.sa/Lessing Archive

Cette peinture est un exemple magnifique de la maîtrise de la couleur que Monet avait acquise à cette époque. Plus qu'une simple nature morte, *Bouquet de soleils* est un chef-d'œuvre intéressant à bien des égards : son sujet, sa composition et sa facture.

Le vase sur la table est cadré en gros plan ; sur trois bords, les fleurs atteignent la limite du cadre et sont presque coupées. Le fond est neutre, le tapis de table peu travaillé, ce qui a pour effet d'imposer directement le vase et les fleurs au regard, de les projeter vers le spectateur. Le jaune d'or, allié à une chaude teinte rouge, est placé sur un arrière-plan gris pâle, et il s'en dégage une sensation inattendue de bien-être et de profondeur. Les fleurs sont tournées vers l'avant, donnant ainsi son relief au bouquet. Le contraste entre le rouge et le vert, allié à la technique impressionniste de Monet, donne des fleurs un rendu très frais, comme si elles avaient été cueillies à l'instant.

Bien entendu, l'on est tenté de rapprocher ce *Bouquet de soleils* des *Tournesols* de Vincent Van Gogh, d'une facture très différente. Il est vrai que Van Gogh, s'il avait recueilli l'héritage de l'impressionnisme, projetait dans sa peinture un tempérament bien plus tourmenté.

LES GLAÇONS
OU DÉBÂCLE SUR LA SEINE (1880)

Paris, musée d'Orsay. Celimage.sa/Lessing Archive

L'eau est ici, comme souvent chez Monet, l'élément principal. Le spectateur est placé au niveau du fleuve, comme sur un bateau, et voit venir vers lui ce flux imposant, chargé de blocs de glace flottants. Le ciel et l'eau présentent des similitudes de tons et de touches.

Au bord de l'eau, des arbres de diverses hauteurs, mais au port droit et statique, forment les lignes de fuite. Ils sont revêtus d'une lueur fantomatique teintée de roux. Cette couleur cuivre se reflète dans l'eau et accentue la séparation entre la masse liquide et le ciel. Les longs reflets onduleux des arbres sont la seule source de mouvement sur la surface de l'eau. Sans cet effet, la glace paraîtrait immobile et il n'y aurait aucun effet de courant.

L'atmosphère de ce jour d'hiver sur la Seine est exprimée par une palette de tons froids et le style lisse des coups de pinceau. Cependant, l'immobilité de *Les Glaçons ou Débâcle sur la Seine* laisse transparaître une douce beauté, inexprimée mais qui se dégage de la masse des arbres.

LA DÉBÂCLE (1880)

Lille, musée des Beaux-Arts. Celimage.sa/Lessing Archive

Contrastant pleinement avec les peintures exécutées une dizaine d'années plus tard, *La Débâcle* offre une glaciale image hivernale : des arbres nus, une palette froide de tons de bleu, de violet, de gris, et une masse de glaçons flottant à la surface de l'eau. Quelques arbres le long de la berge sont dominés par un mince fût isolé, un autre est tombé en travers.

Là encore, il s'agit d'une œuvre dépourvue de personnages. Comme dans beaucoup de vues de rivière peintes par Monet, il n'y a pas de partage défini entre l'eau et le ciel, qui semblent paisiblement mêlés l'un à l'autre. L'eau, brune et glauque, est rendue avec un réalisme quasi photographique. Ce n'est pas le cas des glaçons, à l'avant du tableau, dont l'apparence n'est guère réelle et dont la tonalité verte détonne dans l'ensemble. Les maisons bordant le fleuve et le bateau sont dépourvus de couleur et réduits à des silhouettes noires. Cependant, en regardant de plus près, on peut déceler des traces de vert sur les maisons, reflétant la couleur des blocs de glace, ce qui crée un équilibre entre ces deux éléments.

CABANE DES DOUANIERS, EFFET D'APRÈS-MIDI (1882)

Bordeaux, musée des Douanes. Celimage.sa/Lessing Archive

Monet a peint plusieurs tableaux semblables à celui-ci au début de sa carrière. Il a souvent adopté une perspective panoramique pour décrire des architectures, ce qui lui permettait de mettre l'accent sur le matériau utilisé et sur les touches, réalisant ainsi une composition intéressante. *Cabane des douaniers, effet d'après-midi* présente une grande similitude avec *La Maison de pêcheur, Varangeville,* exécutée la même année. Les deux œuvres sont chargées d'expressivité. La mer, au premier plan et au loin, et la végétation entourant la maison ont été exécutées avec un usage exubérant de la peinture et des touches. Ce qui donne un effet de mouvement confus qui, au premier aspect, brouille notre vision, car les couleurs de l'eau se mêlent et pénètrent presque dans le ciel, déformant l'horizon.

Monet pose des taches noires et grises sur les surfaces de vert, créant ainsi des ombres et des variations tonales. La maison est peinte de la même façon, à l'exception des lignes blanches qui soulignent ses angles et son sommet. On voit ici le soin apporté par l'artiste à la couleur et à ses effets. C'est une scène pittoresque, traitée avec une palette adoucie, dont il se dégage la même sensation de sérénité que dans bien d'autres œuvres de Monet.

CHEMIN DE LA CAVÉE, POURVILLE (1882)

Boston, Museum of Fine Arts. Celimage.sa/Lessing Archive

Ce tableau exploite une large palette de couleurs et de tons. Les premières sont utilisées comme un arc-en-ciel, avec une échappée pittoresque vers la mer. L'usage intense des couleurs entraîne le spectateur au cœur d'une scène intimiste. On peut constater ici les diverses facettes du talent de l'artiste, en particulier dans l'emploi de la couleur et la technique picturale. Sa perception aiguë des ambiances, toujours en alerte, lui permettait de peindre des tableaux très lumineux comme des paysages gris et tristes, traités en tons neutres. Ici, certains éléments des buissons sont éclairés par des touches de jaune. Au premier plan, la végétation plus sombre, le vert foncé créent une sensation de profondeur.

À l'opposé des scènes de marine, où le tableau est dominé par le sujet plutôt que par le ciel, dans *Chemin de la Cavée, Pourville,* seule une étroite bande de ciel borde le haut du tableau et se confond avec la mer.

Le Cap Martin (1884)

Tournai, musée des Beaux-Arts. Celimage.sa/Lessing Archive

Monet découvrit les beautés de ce promontoire avec Renoir. Les deux amis avaient eu l'intention de peindre ensemble, mais en 1884, Monet inspecta en secret le lieu pour revenir y travailler seul. Les peintures qui en résultèrent sont pleines d'énergie et de couleur.

L'âpreté des rochers complète les touches irrégulières utilisées pour la mer. Les coups de pinceau épais sont jetés rapidement, les vagues sont représentées par des taches désordonnées de blanc et les lignes horizontales de l'eau contrastent avec les rochers, traités en touches posées dans toutes les directions. Les horizontales et les verticales sont particulièrement accentuées dans cette peinture, mais les techniques diffèrent pour le ciel, la mer et les arbres. Le ciel est peint comme une surface lisse, avec des couleurs pâles, la mer et les arbres en couleurs vives, avec des touches plus courtes, et une ligne bien définie marque la rencontre avec le ciel.

Sur la mer, seule une ligne blanche verticale est éclairée sur le ciel rose : c'est une voile. Par comparaison avec de précédentes peintures détaillées de bateaux à Argenteuil, il est évident que la technique et la composition ont évolué chez l'artiste. Monet se contente ici, pour représenter le bateau, d'une touche blanche, une impression, à l'horizon.

ÉTRETAT : LA PLAGE
ET LE PORT D'AMONT (1883)

Paris, musée d'Orsay. Celimage.sa/Lessing Archive

Monet a placé ce tableau en perspective aérienne, comme à son habitude pour des sujets semblables, afin d'accentuer l'impression de grandeur. Ici, la hauteur ainsi gagnée sur la plage rend les personnages minuscules et insignifiants, par rapport à la falaise qui les domine. Le bord de celle-ci est plus lisse et donne de la douceur à tout le tableau.

C'est encore ici une œuvre impressionniste, qui tend donc à une absence de détails chez les personnages et sur les bateaux. Les premiers sont, en fait, si petits qu'ils sont quantité négligeable par rapport à la masse rocheuse de l'arrière-plan. Cette dernière occupe la moitié du ciel et se perd quelque part, en dehors du tableau. Elle équilibre les bateaux du premier plan. Des tons et une technique identiques sont employés pour rendre le ciel et la mer.

Monet décrit ici une scène familière de vacances familiales, très plaisante à regarder, ce qui fit que la toile fut vendue dès sa production. Les couleurs vigoureuses des bateaux distinguent cette œuvre de beaucoup de précédents paysages de l'artiste.

Les bateaux semblent plus détaillés que la mer et la falaise de l'arrière-plan ; de ce fait, ils atténuent la spontanéité de cette peinture, sans pour autant détruire l'impression d'ensemble. La limpidité et le mouvement des touches sur le ciel et la mer suggèrent que le peintre a exécuté ce tableau sur place.

TEMPÊTE À ÉTRETAT (1883)

Lyon, musée des Beaux-Arts. Celimage.sa/Lessing Archive

Monet a peint *Tempête à Étretat* l'année de son installation à Giverny, où, à l'exception de deux longs voyages dans les dernières années, il passa le restant de ses jours. Cette œuvre, comme beaucoup d'autres, témoigne de la fascination que les tempêtes côtières exerçaient sur Monet.

Cette toile paraît construite en mouvements désordonnés et Monet y utilise une palette froide, d'une pâte vigoureuse. Les vagues se ruent à l'assaut du rivage, frangées d'un blanc brillant, de crème et de rose accentuant l'effet de la tempête. Les deux fragiles silhouettes des personnages, près des vagues, renforcent le caractère menaçant des éléments déchaînés.

L'ensemble est très sombre, saturé de bleu foncé, pour faire pleinement ressentir le déferlement de la tempête. Ici, la palette diffère complètement de celle employée pour *Chemin de la Cavée, Pourville* (1882). Cela montre bien la façon dont Claude Monet a contrôlé tout au long de sa carrière un emploi varié et habile de la couleur.

L'Église à Bennecourt (1885)

Collection privée. Celimage.sa/Lessing Archive

Peintes à peu d'années d'intervalle, *L'Église à Bennecourt* et *L'Escalier* (1878) sont des vues intimistes d'un milieu rural, traitées en plan rapproché. Toutes deux sont dépourvues de personnages et concentrées sur la beauté des édifices. Monet a choisi ici un petit coin du village, assoupi sous un chaud soleil.

La différence entre les deux œuvres tient dans la facture apparemment plus soignée de *L'Église à Bennecourt*. Les maisons constituent un assemblage de surfaces rectangulaires, carrées ou triangulaires. Elles ont toutes, contrairement à l'église, la pente de leur toit face au spectateur, ce qui crée un contraste entre le rouge des tuiles et le blanc des murs et accentue leurs contours géométriques. Les murs bas qui ceignent les propriétés leur font écho. *L'Escalier* a un motif semblable, avec ses murs et son toit, mais il est plus difficile à percevoir car le spectateur est placé tout près de la maison.

Dans *L'Église à Bennecourt,* les nuages et le ciel contrastent avec les formes régulières au-dessous d'eux. L'arbre du premier plan contribue aussi à rompre la régularité du sujet, évitant ainsi la monotonie. Le grand espace attribué au ciel bleu évite que l'ensemble des maisons alourdisse le tableau.

Glaïeuls (1882–1885)

Paris, collection privée. Celimage.sa/Edimedia

Durand-Ruel passa commande à Monet d'un ensemble de panneaux décoratifs, auxquels l'artiste travailla pendant plus de deux ans. Chacun d'eux devait représenter des fruits ou des fleurs, avec pour objet d'évoquer les saisons.

La forme des glaïeuls s'avère parfaite pour un panneau en hauteur. Ils sont placés sur ce qui semble un dessus de table ; le fond est très simple, contrairement à celui de *Chrysanthèmes* (1878), autre panneau de cette série où les fleurs sont placées sur fond de papier peint, aux dessins de fleurs bien apparents. En plaçant les glaïeuls sur un fond bleu, les couleurs des fleurs bénéficient d'un effet de contraste surprenant. Les chrysanthèmes, plus étoffés, se déploient dans le tableau, tandis que les glaïeuls forment des lignes verticales, équilibrées par le bord de la table.

Le curieux vase dans lequel sont placées les fleurs constitue un second centre d'intérêt, qui attire le regard vers les fleurs en relief dont il est décoré. Dans *Chrysanthèmes,* c'est le papier peint du mur qui s'impose.

153

Tempête, côte de Belle-Île (1886)

Paris, musée d'Orsay. Celimage.sa/Scala Archives

Lors d'un voyage en Angleterre, Monet avait été vivement intéressé par les changements de temps sur la côte. Il avait conservé l'envie de saisir les giboulées et les tempêtes, et c'est à Belle-Île qu'il put un jour satisfaire ce désir. Par ce jour de gros temps, nul doute qu'il n'ait travaillé à la hâte, avec excitation et frénésie, comme en témoigne la rapidité des coups de pinceau jetés sur la toile.

L'horizon placé très haut laisse le champ à une atmosphère dramatique, car la mer semble prête à tout submerger, même le ciel ; l'utilisation des mêmes couleurs pour le ciel et la mer accentue cet effet. L'eau en furie est traitée en touches rapides, tandis que le ciel est peint à coups de pinceau plus francs, dégageant la ligne d'horizon. Dans une autre toile, *Les Roches de Belle-Île* (1886), Monet a usé d'un banc de nuages pour marquer la séparation entre les deux éléments.

En outre, dans *Tempête, côte de Belle-Île,* la mer est peinte avec beaucoup de blanc, pour rendre la turbulence des vagues sur les rochers. La peinture ayant été coupée sur la gauche, le spectateur a l'impression d'être placé au niveau de ces remous. Dans *Les Roches de Belle-Île,* au contraire, le peintre a travaillé de plus haut, ce qui crée une distance avec la mer et éloigne le spectateur de l'intensité du mouvement de l'eau.

LES ROCHES DE BELLE-ÎLE (1886)

Paris, musée d'Orsay. Edimedia

Le caractère sauvage de la mer est ici rendu par les bleus foncés et les verts, qui conviennent bien à l'ambiance d'un jour de gros temps. En revanche, par temps calme, comme dans *La Plage à Pourville, soleil couchant* (1882), elle se pare de tons plus doux. La couleur de l'eau dans *Les Roches de Belle-Île* n'indique pas d'heure particulière de la journée, mais, dans *La Plage à Pourville, soleil couchant,* la fin du jour est clairement marquée.

Ici, l'intensité de l'œuvre réside entièrement dans le déchaînement des vagues. Leur puissance est soulignée par la masse sombre des rochers. Le mouvement des vagues est rendu par de courtes touches et par la juxtaposition de couleurs différentes, par exemple un bleu foncé mis à côté d'un vert. Dans *La Plage à Pourville, soleil couchant,* Monet allonge les touches à la surface de la mer pour la rendre plus régulière et créer une impression de calme.

La présence menaçante des rochers occupe à peu près la même surface dans le tableau que la mer. C'est l'éternelle lutte entre la terre et l'eau que Monet met ici en scène.

LE JARDIN À GIVERNY (1900)

Paris, musée d'Orsay. Celimage.sa/Lessing Archive

Le Jardin à Giverny est tout entier sous l'emprise d'un flot de couleur violette. Le regard parcourt un sentier étroit, qui sépare deux épaisses nappes de fleurs rouges. Les touches verticales des arbres à l'arrière-plan forment un rideau flou, comme une averse, et contrastent avec les fleurs clairement détaillées qui s'étalent à l'avant du tableau. Deux nuances prévalent, le vert et le rouge violacé.

Une maison apparaît derrière le dense rideau d'arbres, bien que le point d'attraction demeure les deux tapis de fleurs. Il n'y a pas de ciel pour atténuer leur présence, comme dans *Champ d'iris jaunes à Giverny* (1887). Dans *Le Jardin à Giverny,* Monet traduit l'essence même des plantes. On peut remarquer, comme autre différence, que cette toile n'a aucun dessin linéaire évident, ni de plans horizontaux, comme dans beaucoup d'autres de ses toiles.

La tonalité d'ensemble est assez sombre, car les arbres verts projettent leur ombre sur la végétation et la maison. Le seul relief provient d'une source de lumière éloignée, sous forme de petites taches de jaune parsemant les arbres et les fleurs.

ÉTRETAT, PORTE D'AVAL : BATEAUX DE PÊCHE SORTANT DU PORT (1885)

Dijon, musée des Beaux-Arts. Celimage.sa/Lessing Archive

Étretat, porte d'aval : bateaux de pêche sortant du port est l'une des nombreuses peintures produites par Monet à Étretat, dont elles représentent en général les falaises tourmentées et les aiguilles. L'ambiance de ce tableau est sombre et quelque peu froide dans ses couleurs et son exécution. La falaise, masse grise dans le lointain, est traitée de façon légère et imprécise, et sa muraille n'écrase pas les petits bateaux au-dessous d'elle.

L'arche est sommairement découpée et les bateaux semblent éparpillés au hasard. Un équilibre précaire s'établit entre le gris terne des falaises et le bleu turquoise plus délicat de la mer. Mais le contraste naît entre le vert tempéré de l'eau calme et les voiles rouges des bateaux. Ce sont ces dernières qui focalisent l'attention car le regard les suit dans leur progression vers la falaise.

La composition de ce tableau est très harmonieuse. La couleur, appliquée sans recherche de détails ni de contours des formes, communique à l'œuvre son aspect serein.

La Barque (1887)

Paris, musée d'Orsay. Celimage.sa/Lessing Archive

Certains critiques ont voulu voir dans cette peinture le délicat passage des jeunes filles à l'état de femmes, à l'âge où leurs regards et leurs corps subissent de constants changements. Monet aurait tenté de faire sentir ce passage par le traitement flou de leurs traits. Cette imprécision se remarquera aussi dans le visage de *Blanche Hoschedé peignant* (1892), mais il est vrai qu'il y a ici une absence notable de détails.

Les trois femmes font corps avec la nature. Leurs vêtements les relient fortement à l'arrière-plan naturel dans lequel elles sont placées, ce qui ne se produit pas dans *Blanche Hoschedé*. Ainsi, le rose de leurs robes est un reflet de celui de la rive herbeuse, derrière le bateau. D'autres critiques pensent plus simplement que pour Monet les femmes sont le symbole parfait de la nature et ces trois femmes sur la barque s'y insèrent parfaitement.

Ces thèses sont intéressantes mais difficiles à étayer. Ce qui est certain, c'est que cette œuvre est très harmonieuse. La barque est équilibrée par son reflet dans l'eau et la coloration identique des trois femmes contribue à créer une sensation de plénitude.

Champ d'iris jaunes à Giverny (1887)

Paris, musée Marmottan. Celimage.sa/Scala Archives

Malgré le titre de cette œuvre, il y a dans ce tableau deux couleurs dominantes : le jaune et le rouge. Ce dernier, largement présent au premier plan, est repris dans la haie s'étendant au milieu du tableau. Le traitement des iris est différent de celui d'*Iris jaunes* (1924-1925). Dans ces derniers, le jaune des fleurs est le principal point d'intérêt ; ici, son effet est tempéré du fait qu'il est mélangé avec le rouge.

Autre différence, les fleurs sont le motif principal d'*Iris jaunes*. Dépourvues d'arrière-plan, elles sont décrites par Monet dans leur essence. Mais dans *Champ d'iris jaunes à Giverny,* il les place dans un contexte plus général. Elles sont peintes dans leur milieu naturel, c'est-à-dire un champ bordé d'une haie, un arrière-plan et le ciel, et n'ont pas ce style oriental des *Iris jaunes.*

On retrouve ici le découpage du tableau en bandes horizontales, commun à beaucoup d'œuvres de Monet. Le champ de fleurs forme la première bande, la haie la deuxième et le ciel la troisième. Dans cette œuvre impressionniste, curieusement peinte dans un format «marine», apparaît nettement une grande linéarité.

CHAMP DE TULIPES EN HOLLANDE (1886)

Paris, musée d'Orsay. Celimage.sa/Lessing Archive

Claude Monet a passé sa jeunesse au Havre où il fut d'abord un excellent caricaturiste avant d'être initié au paysage par Boudin, son premier mentor.

Comme dans beaucoup de ses paysages et de ses marines, Monet fait montre ici d'un merveilleux usage de la couleur. Le peintre, qui sait parfaitement créer le mouvement par la couleur, a couvert son tableau d'une étendue rouge et jaune d'or. Les tulipes rouges forment un manteau au premier plan, une technique que l'on retrouve dans *Champ d'iris jaunes à Giverny,* peint un an plus tard, en 1887.

Comme dans un autre tableau peint la même année, *Champ de tulipes, Hollande,* ce paysage n'est pas précisé par une série de contours, mais plutôt par un partage égal entre le ciel et la terre. La passion de Monet, sa fougue à peindre ces paysages de Hollande sont tempérées par ses touches courtes et hachées, propres à son style impressionniste. C'est ainsi qu'il espère capter une image fugitive et en restituer la beauté et la couleur. Il y parvient dans ce tableau et l'émotion qui en émane est d'une force irrésistible.

PRAIRIE DE LIMETZ (1887)

Collection privée. Celimage.sa/Lessing Archive

Ce tableau est l'une des rares peintures dans lesquelles apparaît Alice Hoschedé, avant qu'elle ne devienne l'épouse de Monet, veuf de Camille. Les deux enfants derrière elle sont ses garçons.

Cette peinture est un paysage de caractère intimiste, montrant la famille du peintre en promenade aux alentours de Giverny, un thème assez fréquemment traité par Monet. L'ombrelle que porte Alice indique un temps chaud, et le jaune dans les champs fait ressentir cette chaleur. Les touches de couleur définissent les différents plans; ainsi, elles sont horizontales pour le champ car on est en surface plane, et en diagonale pour les collines de l'arrière-plan, pour souligner sa pente. Monet tente de saisir la nature de chaque élément non seulement par sa couleur, mais aussi par sa substance. Si l'herbe paraît haute et drue au premier plan, c'est précisément parce qu'elle est traitée en touches rapides, partant dans toutes les directions, et dans ses moindres détails.

Vue d'Antibes (1888)

Japon, collection privée. Celimage.sa/Edimedia

Ce paysage d'Antibes, vu de loin, est encadré d'arbres. Les bleus du ciel et de la mer, peu travaillés, ne constituent pratiquement qu'une toile de fond sur laquelle les arbres se détachent. Monet, subjugué par la lumière, écrivit à sa femme : «C'est si clair, si pur de rose et de bleu, que la moindre touche qui ne soit pas juste fait une tache de saleté.»

Si l'on confronte cette toile à *Antibes, vue du cap, vent de mistral* (1888), l'on constate que les buissons du premier plan servent uniquement à assurer la perspective et ajoutent à la qualité linéaire de la peinture. Ici, l'arbre est l'élément principal : son tronc solide et ses branches contrastent avec la texture fine et presque translucide de ses feuilles. En le plaçant en évidence au premier plan, Monet accentue la subtilité des couleurs et de la lumière qui enveloppent la ville. La structure solide des arbres fait d'Antibes, par contraste, une cité onirique. Elle semble flotter sur l'eau, dans un halo de couleur claire, rose et dorée. Dans *Antibes, vue du cap,* aux traits plus épais et aux couleurs vibrantes, Antibes ne baigne pas dans la même atmosphère mystique.

Le ciel tient ici une grande place ; il laisse du champ à l'arbre pour se dresser et se déployer pleinement, et la ville semble alors petite et délicate. C'est là une des quatre peintures sur le thème d'Antibes, qui forment une petite série.

ANTIBES, VUE DE LA SALIS (1888)

Celimage.sa/Lessing Archive

On a dit des sujets de Monet qu'ils allaient de la vigueur à la douceur, et c'est certainement de douceur qu'est empreint ce tableau, car les couleurs sont marquées de touches d'or, de rose et de turquoise.

Cette harmonie de couleurs apparaîtra de nouveau, vingt ans plus tard, dans *Le Grand Canal et Santa Maria della Salute* (1908). La composition en est semblable, car les deux toiles présentent au premier plan une grande étendue d'eau, dans laquelle semble flotter un palais, et un grand ciel par-dessus. Cette similarité tient à l'intérêt que Monet portait aux architectures placées au bord de l'eau. Son traitement des reflets dans les deux toiles montre son attrait pour les effets de la lumière sur une structure solide placée près de l'eau. Le reflet est réduit à la réflexion d'une couleur plutôt que d'une forme. Ainsi, les coups de pinceau sur le château Grimaldi sont des lignes de couleur or, alors que ceux de Santa Maria della Salute deviennent des miroitements de rose.

Les couleurs employées dans les deux œuvres sont douces et de tons pastel. Cependant, la toile vénitienne est dominée par le bleu et le rose au point que l'eau, le ciel et les édifices sont traités avec ces mêmes couleurs. *Antibes, vue de la Salis* présente plus de variété de roses, d'ors, de blancs, de bleus et de verts. Chaque partie du tableau est peinte d'une couleur distincte et non pas avec des mélanges de couleurs.

PAYSAGE AVEC FIGURES, GIVERNY (1888)

Chicago, Art Institute. Edimedia

Dans la seconde moitié des années 1880, on voit reparaître des personnages dans la peinture de Monet. Entre 1885 et 1889, il peint seize tableaux de sa famille, dans un milieu naturel et selon un véritable style de *plein air*. Il avait débuté dans ce genre en 1865, avec *Le Déjeuner sur l'herbe*. Son but était de représenter ses personnages avec la même spontanéité qu'il mettait dans ses paysages.

Le premier travail tentait de rendre les personnages, indépendamment les uns des autres, avec un emploi vigoureux de la couleur pour les femmes, traitées sans ombres. Monet les représente en action et non dans une pose apprêtée. Dans *Paysage avec figures, Giverny,* on retrouve le même détachement entre les personnages. Le premier et le second groupe sont séparés par un large espace, les trois figures du premier plan paraissent mutuellement indifférentes. Cet angle de vue inhabituel accentue certes l'impression de spontanéité, mais le spectateur, placé tout contre le premier plan, en ressent une sensation d'inconfort et, instinctivement, se recule.

Les couleurs employées pour les figures sont reprises dans les tons de l'herbe, des arbres et des collines du lointain. Ainsi, les personnages deviennent, par l'utilisation que fait Monet de la couleur, partie intégrante du paysage.

CREUSE, SOLEIL COUCHANT (1889)

États-Unis, collection privée. Edimedia

Lorsque Monet visita le Massif central, l'austérité et le caractère sauvage du paysage le séduisirent aussitôt. Il décida de peindre des paysages aux abords de la Creuse, pour capter ces paysages déserts qui l'impressionnaient tant. Il se mit au travail en hiver. Mais le printemps arriva et il n'avait pas fini de s'occuper des détails d'un arbre, qui se mit à verdir et à bourgeonner. Ne pouvant poursuivre avec un sujet aussi changeant, Monet prit sur lui de payer le propriétaire afin qu'il le dépouillât de nouveau de ses feuilles. Cela laisse à penser que Monet n'était peut-être pas aussi inconditionnellement attaché à la nature qu'il aimait à le faire croire !

La rivière et les rochers qui la cernent apparaissent dans de nombreux tableaux de la région. La présente toile offre une vue de la Creuse par un beau début d'après-midi. La lumière a pour effet de faire des collines une masse sombre, derrière laquelle se détachent le ciel et l'eau. En revanche, la même scène dans la soirée est plus terne, mais permet aux collines d'être mieux mises en valeur. L'austérité du lieu est accentuée par l'absence de végétation. La seule source de chaleur vient du ciel, mais elle disparaît des collines avec le soir.

Vallée de la Creuse, effet du soir (1889)

Paris, musée Marmottan. Celimage.sa/Lessing Archive

Le paysage aride de la Creuse captivait Monet et il tenta plusieurs fois d'en exprimer le caractère sauvage, dans un style différent de celui des toiles de cette époque, comme *Sur la falaise près de Dieppe* (1897), dans laquelle il adoucit un paysage accidenté. Ici, la Creuse est froide et austère.

L'étrange bleu du soir ajoute à cette froideur, gagne l'eau et les collines, lesquelles, par contraste, paraissent rouges. Elles s'étendent dans le fond et sur toute la largeur de la toile, repoussant le ciel jusqu'à ce qu'il ne forme plus à l'horizon qu'une bande étroite. Dans *Sur la falaise près de Dieppe,* l'étendue du ciel fait naître au contraire un sentiment de sérénité.

Ce qui est intéressant dans les peintures de la Creuse, c'est la quantité des effets créés par Monet sur un sujet unique. Son étude des différentes intensités de lumière, à des heures différentes de la journée, produit un ensemble de peintures qu'anime une grande variété de couleurs. Ici, le bleu impose sa forte présence ; dans d'autres œuvres de cette série, c'est l'orange, le rouge ou le violet qui prédominent.

PEUPLIERS AU BORD DE L'EPTE (1891)

Londres, Tate Gallery. Celimage.sa/Lessing Archive

Fidèle aux séries, comme celle des meules par exemple, Monet a souvent peint des peupliers, ces derniers comme le fourrage revêtant une grande importance économique pour le monde rural. Les peupliers peints ici étaient destinés à être abattus, pour être débités en bois de charpente ou de construction. Monet, qui n'avait pas achevé son travail, s'entendit avec le propriétaire pour qu'il les laissât sur pied jusqu'à ce qu'il eût terminé.

La plupart des peintures de la série ont été exécutées à bord du bateau-atelier de Monet. Elles ont été faites en un point où la rivière décrit une courbe, ce qui justifie la double rangée d'arbres. Depuis l'embarcation, le peintre a travaillé son sujet en contrebas, ce qui permit d'accentuer la hauteur d'arbres occupant toute la largeur du tableau. Les solides troncs verticaux contrastent avec les courbes du feuillage, auquel font écho les nuages courant dans le ciel.

Le premier plan d'eau donne au spectateur l'impression de se trouver lui-même sur la rivière. La perspective est dilatée, comme avec un objectif photographique à grand angle. L'artiste, qui a cherché à immerger le spectateur dans le paysage, a parfaitement réussi dans son intention.

COURBE DE FLEUVE

Colmar, musée d'Unterlinden. Celimage.sa/Lessing Archive

Monet a toujours été à l'avant-garde du développement artistique. Et s'il occupa une position centrale dans le mouvement impressionniste, il le doit à un ensemble de qualités particulières : sa touche, les contrastes très personnels des couleurs, la consistance de la pâte qu'il appliquait sur la toile. Loin de rester sur les acquis qui firent son succès, il ne cessa tout au long de sa carrière d'améliorer et de développer des techniques nouvelles. Dans *Courbe de fleuve,* Monet use avec assurance d'une combinaison nouvelle des points forts de sa technique, en même temps qu'il déchaîne un flot exubérant de couleurs.

Un ciel doré, rouge et orange écrase les contours et occulte presque la vision du paysage. Juste au-dessus du sommet des collines, un jaune chatoyant souligne la rencontre de la terre et du ciel. Les collines sont teintées de nuances de vert, rouge, brun et rose, dans un style comparable à celui des paysages de Vincent Van Gogh (1853-1890).

Cette œuvre a des relents de mystère, car l'eau semble déboucher des entrailles des collines, d'une source inconnue. Des fragments de la couleur de cette eau apparaissent sur les masses rondes des hauteurs, et des reflets du ciel sur sa surface donnent au tableau une unité implicite.

Vue de Rouen depuis la côte de Sainte-Catherine (v. 1892)

Celimage.sa/Lessing Archive

Cette toile est probablement inachevée. Elle n'est pas signée et l'on peut apercevoir les traces des bâtiments que Monet entendait sans doute ajouter à la composition. Cela n'enlève cependant rien à l'œuvre, qui demeure attrayante par le choix de son sujet.

Monet a peint très peu de scènes industrielles, leur préférant de plus paisibles paysages de campagne ou des édifices urbains modernes. Ici, il a choisi un quartier industriel qu'il a peint, comme dans *Les Déchargeurs de charbon* (1875), avec une prédominance de couleurs foncées et sobres, ce qui donne au tableau son caractère sombre. *Vue de Rouen depuis la côte de Sainte-Catherine* n'a pas la régularité d'ensemble des *Déchargeurs,* où chaque manœuvre reproduit le mouvement de la précédente, traduisant parfaitement le caractère mécanique du travail.

Ici, Rouen est vue de près, et ses cheminées qui fument, fait inhabituel chez Monet, tiennent une place importante dans le tableau. Elles apparaissent pourtant dans d'autres toiles, mais elles sont généralement fondues dans l'arrière-plan, estompées par des voiles de brouillard et les volutes de fumée. Dans cette *Vue de Rouen,* elles imposent leur présence au-dessus de la ligne d'horizon et constituent un axe autour duquel est ordonné le quartier industriel.

LES MEULES, FIN D'ÉTÉ (1891)

Paris, musée d'Orsay. Celimage.sa/Lessing Archive

Les Meules, fin d'été est une des nombreuses peintures inspirées par Giverny. Cette scène de fin d'été baigne dans une atmosphère légère et limpide. Les meules sont un sujet approprié pour la saison chaude, et le flou que Monet a choisi d'utiliser, associé à son mélange de couleurs, rend aveuglant le soleil illuminant le foin. Il n'y a là aucun changement de tonalité et les contours ne sont pas soulignés, créant un effet de mirage dû à l'ardeur du soleil.

La même méthode est employée pour le lointain, où les masses d'arbres forment une sorte de vapeur verte. Les touches utilisées dans cette œuvre sont courtes et quelque peu désordonnées. Le sujet est très dépouillé et l'intention de l'artiste a été manifestement de capter et de pérenniser sur sa toile l'atmosphère fugitive d'un moment de chaleur et de lumière intenses.

LES PEUPLIERS
OU LES QUATRE ARBRES (1891)

New York, Metropolitan Museum of Art. Celimage.sa/Lessing Archive

Cette œuvre, d'une exécution délicate, est réduite dans son contenu. Elle rayonne cependant de l'intrinsèque beauté d'une palette froide, volontairement limitée.

La brume orangée dans le lointain et le bleu des arbres du premier plan plongent le spectateur au sein même de l'ombre du feuillage et de son reflet. Le contraste avec l'épaisse bande d'arbustes barrant l'horizon, éclairée par un incendie de rouge pâle et de jaune, est particulièrement frappant.

La composition est simple, mais efficace. Les arbres sont distribués de façon égale dans toute la largeur du tableau, ce qui donne à celui-ci rythme et équilibre. Ils sont de taille égale et s'élancent, rectilignes, hors du bord supérieur du cadre. Leurs reflets nets en sont une réplique presque parfaite et créent une légère confusion : s'agit-il d'autres arbres ou du reflet des premiers ? La sérénité de la scène est accentuée par le calme de l'eau.

La palette est douce, avec des bleus, des bruns, des verts. Les jaunes et les rouges, placés contre le bleu pâle, donnent de la profondeur et du contraste, tandis que le bleu de l'eau est repris dans le ciel, diffusant sur toute la toile un sentiment profond de continuité et d'équilibre.

La Cathédrale de Rouen : effet du matin, harmonie bleue (1894)

Paris, musée d'Orsay. Celimage.sa/Lessing Archive

Sensible tout au long de sa carrière aux effets changeants de la lumière, Monet attacha une attention particulière aux peintures qu'il fit de la cathédrale de Rouen. Il reproduisit donc le même édifice à différents moments de la journée, afin de traduire les diverses qualités de la lumière sur le sujet. Cette série est l'une de ses œuvres les plus réputées, les plus importantes pour lui et les plus achevées techniquement.

Monet observe ici, dans la lumière du matin, l'effet d'ombre bleutée portée sur la cathédrale, qui met en valeur la tour traitée en teintes rosées. Cette représentation est très différente de celle de *La Cathédrale de Rouen : effet de soleil* (1883). Dans cette dernière toile, la cathédrale est plongée dans la lumière comme dans une atmosphère de fête. L'application d'empâtements, la juxtaposition de coups de pinceau épais et minces accentuent ou brouillent certaines formes de l'édifice.

Cette série de tableaux constitue une véritable innovation artistique. Monet a concentré son travail sur une surface particulière de la cathédrale, afin d'y expérimenter ses techniques et ses concepts picturaux. Mais l'œuvre qui en résulte, loin d'avoir le caractère aléatoire d'une étude, est un chef-d'œuvre artistique à part entière, d'un style unique. Tant il est vrai que Monet, perpétuellement tourné vers l'avenir, fut souvent en avance sur ses contemporains.

La Seine près de Giverny (1894)

Collection privée. Celimage.sa/Lessing Archive

L'eau est l'élément principal de ce tableau. Le regard du spectateur, placé au niveau du fleuve qui défile devant lui, suit le fil du courant. L'élément liquide emplit tout le bas du tableau ; ses rives, ses ombres et ses reflets déterminent à eux seuls la composition de l'œuvre. La couleur de l'eau se reflète dans le ciel, les deux éléments étant traités en touches et en tons presque semblables.

La végétation et les reliefs qui séparent l'eau et le ciel permettent seuls de ne pas les confondre. Ce n'est qu'à l'endroit où cette végétation se reflète dans l'eau que l'on peut déceler un mouvement à sa surface. Les rives sont indiquées à coups de pinceau plus longs et avec des couleurs différentes, par contraste avec l'eau aux reflets sombres, de couleur uniforme.

Ce traitement de la Seine est différent de celui de *La Seine à Port-Ville* (1908-1909). Dans ce tableau, la perspective n'est pas marquée aussi nettement. Le partage entre l'eau, la terre et le ciel est réduit à trois larges bandes de couleur. Et il n'est rompu que par les touches circulaires du vert des arbres, du jaune de la rive et par les traits noirs irréguliers indiquant la surface de l'eau.

LA CATHÉDRALE DE ROUEN :
EFFET DE SOLEIL (1883)

Williamstown, Clark Art Institute. Celimage.sa/Lessing Archive

La cathédrale de Rouen est le sujet d'une série de Monet, la première à être consacrée exclusivement à un thème architectural. La logique de ce choix était en accord avec les sujets d'autres séries prévues.

Dans sa correspondance, l'artiste a décrit les difficultés rencontrées pour mener à bien ce travail, qui lui prit trois ans avant d'être exposé. Si l'on compare cette peinture avec *Le Château de Dolceacqua* (1884), le peintre a pris un parti contraire : il a abandonné les conventions de point et d'angle de vue éloignés, au profit du gros plan très cadré. Sans s'attarder sur des détails d'architecture, il a plutôt cherché à saisir l'instant qui passe. Dans *La Cathédrale de Rouen* en particulier, l'intérêt porte sur l'effet de la lumière sur la façade de l'édifice, exposé au plein soleil et baigné dans un halo doré. « Pour moi, un paysage n'existe pas en soi puisqu'il change d'apparence tout le temps, seule l'atmosphère donne sa valeur au sujet », disait-il. La cathédrale de Rouen est traitée dans cet esprit.

Monet exécutait ses tableaux avec des interruptions d'un an parfois. Puis il en reprenait souvent des parties, qui se trouvaient alors recouvertes d'une véritable croûte de peinture. Certains critiques ont voulu voir en cela une façon de rendre la maçonnerie de l'édifice.

Norvège, les maisons rouges à Bjørnegaard (1895)

Paris, musée Marmottan. Celimage.sa/Lessing Archive

La série de paysages de neige peinte en Norvège connut peu de succès. Comparée à *Paysage de Norvège, les maisons bleues* (1895), cette toile est d'une composition plus complexe. Monet traite ici le groupe de maisons en plan plus rapproché et c'est leur présence massive qui s'impose dans le tableau.

Bien que disposées plus simplement que les *Maisons bleues,* les *Maisons rouges à Bjørnegaard* en sont pourtant le pendant. Le bloc de couleurs des maisons et l'absence de détails de leur architecture donne du relief à leurs formes géométriques. Le rendu fidèle des bâtiments prend dès lors une importance secondaire, au regard des carrés et des rectangles qui les représentent. Le rouge des maisons offre un contraste frappant avec le bleu profond du ciel. Le contraste des couleurs contribue à accentuer la géométrie du tableau.

Il se dégage de cette œuvre une puissante sensation de solitude dans un univers glacé.

LIRIOS JUNTO AL ESTAQUE

Chicago, The Art Institute. Celimage.sa/Lessing Archive

Dans ce tableau, un fouillis de fleurs et de feuilles éclate et emplit tout le cadre, en un vaste mélange de fleurs multicolores, qui se heurtent pour imposer cette peinture au regard. Bien que cette explosion de couleurs soit traitée en gros plan, on y décèle une quasi-absence de détails. De fait, l'impact de cette peinture sur le spectateur tient essentiellement à son immersion totale dans l'essence même de ce milieu naturel. Dans *Lirios junto al Estaque,* la force tellurique est exprimée avec une intensité particulière, que l'on retrouve dans la composition.

Les fleurs d'un rouge sombre, dans le coin supérieur gauche, contrastent vivement avec le violet froid et le vert mêlé de jaune des feuilles. *Lirios junto al Estaque* donne un avant-goût de l'usage fréquent du rouge que fera plus tard Monet dans ses peintures de jardin à Giverny.

Les seuls détails se trouvent sur les feuilles, en bas et à droite du tableau, et encore sont-elles soulignées d'un simple trait bleu fin, qui leur donne du relief. Un léger effet granuleux apparaît dans le coin supérieur droit, produisant un certain flou artistique, comme sur une photographie.

LONDRES, LE PARLEMENT, TROUÉE DE SOLEIL DANS LE BROUILLARD (1904)

Paris, musée d'Orsay. Celimage.sa/Lessing Archive

Parmi les peintures exécutées lors du séjour à Londres de Monet, celle-ci donna lieu à controverse, car Turner (1775-1851) avait déjà représenté le Parlement parmi ses scènes urbaines. En choisissant Londres comme sujet, et en incluant dans sa série un monument déjà traité par un peintre aussi éminent que Turner, Monet paraissait délibérément le défier. Estimant que l'art avait progressé depuis Turner, il entendait montrer que sa propre façon de peindre était supérieure.

Dans *Londres, le Parlement, trouée de soleil dans le brouillard*, Monet place l'édifice au ras de l'eau et baigne leur jonction d'une lumière étrange. Les détails de l'édifice disparaissent au profit de l'atmosphère. Il avait déjà utilisé ce sujet et cette perspective avec *Le Parlement, coucher de soleil* (1900-1901), bien que les effets de lumière dans ces deux toiles soient très différents. Toutes deux décrivent le même motif, mais à des heures différentes du jour. Il en est de même dans la série de représentations de la cathédrale de Rouen, Monet s'étant attaché à dépeindre cet édifice dans des conditions atmosphériques différentes.

Le Mont Kolsaas en Norvège (1895)

Paris, musée Marmottan. Celimage.sa / Archives Scala

Peints dans la même année, *Le Mont Kolsaas en Norvège* et *La Cathédrale de Rouen : effet de soleil* font chacun partie d'une série. Il est intéressant ici de noter les différentes approches d'un motif unique.

La toile du mont Kolsaas est plus conventionnelle. Elle place le spectateur à distance du motif, embrassant ainsi la montagne entière, qui forme à elle seule tout le sujet, le ciel au-dessus d'elle et la neige à ses pieds. Avec *La Cathédrale de Rouen* le point de vue change : l'édifice ne peut s'envisager en entier et le champ de vision est si réduit que l'on n'aperçoit qu'un coin de ciel. La montagne de Norvège est peinte dans un style simple, avec des bandes de couleurs contrastées, qui se mêlent en plusieurs endroits.

Les couleurs utilisées pour la peinture norvégienne sont opposées les unes aux autres, comme la ligne verte près de la base et la ligne violette au-dessus d'elle. Ou alors, elles sont mêlées, comme le violet, le bleu et le blanc sur le sommet. L'ensemble est harmonisé par d'autres touches de couleur.

Bras de Seine près de Giverny (1897)

Sceaux, musée de l'Île-de-France. Celimage.sa/Edimedia

La Seine, sujet de prédilection de Monet, figure très souvent dans ses œuvres ou en est même le thème principal. De 1896 à 1897, l'artiste décida de décrire le fleuve dans une remarquable série de vingt et une peintures.

Ce qui rend cet ensemble différent des autres, c'est qu'il s'attache à représenter l'aube en un motif unique, instant par instant. Monet avait sans doute déjà tenté de le faire avec de précédentes séries, aucune n'avait traité les changements de lumière sur une aussi courte période. Comme on peut le voir dans *Bras de Seine près de Giverny* et *Matinée sur la Seine, effet de brume* (1897), l'aube fait apparaître et disparaître sur le fleuve des tons variés. Sur la première toile, un bleu pâle, presque lilas, nimbe tout le tableau, mais il se concentre au point de rencontre de l'eau et du ciel. *Matinée sur la Seine, effet de brume* a été peint un peu plus tard, alors que le soleil commençait à poindre. Les tons bleus tendent à disparaître et le vert des arbres, surtout au premier plan, à émerger. À l'horizon, le ciel commence à s'éclairer. Dans ces deux œuvres, les changements dans la lumière sont aisés à percevoir, tandis que les différences entre d'autres toiles de la série sont moins évidentes.

NYMPHÉAS

New York, Metropolitan Museum of Art. Celimage.sa / Lessing Archive

Dans ce tableau, l'impressionnisme paraît confiner à l'art abstrait. Cette peinture a été exécutée vers la fin de la vie de Monet, alors que sa vue avait été affectée par une double cataracte. L'œuvre est tout entière dominée par une couleur, déconcertante, le regard ne pouvant se fixer sur un point particulier. Les nymphéas sont absorbés par cette bande de couleur. Seules des taches de bleu et de vert-jaune transparaissent sous la nappe de rouge rosé.

Les fleurs ne sont pas très détaillées, en comparaison de celles qui figurent dans les *Nymphéas* de 1914-1917. La technique de coloration de ce tableau se rapproche de celle de *Waterloo Bridge* (1902), où le sujet est noyé dans la couleur. Ces deux peintures sont assez romantiques, dans la mesure où la couleur exprime une émotion de l'artiste. Dans le cas de *Waterloo Bridge,* Monet tente de saisir ce qu'il qualifiait d'enveloppe de lumière filtrant d'un objet et l'entourant, lui donnant du mouvement. Il semble qu'une variante de cette technique novatrice ait été utilisée pour les *Nymphéas.*

LA CATHÉDRALE DE ROUEN :
HARMONIE BRUNE

Paris, musée d'Orsay. Celimage.sa/Lessing Archive

Dans ce tableau, exploration de l'architecture gothique, les nuances et les détails sont complémentaires et s'équilibrent mutuellement. Toute la masse de la cathédrale est vue en plan vertical, depuis sa base. Les côtés ne sont pas supprimés mais coupés en partie, et la vue de la cathédrale devient partielle. Sa masse n'en est pas pour autant diminuée, car le choix des couleurs dégage sa formidable présence.

Les études de la cathédrale de Rouen sont surtout consacrées à son architecture. Elles se concentrent moins sur les détails de l'édifice que sur la lumière qui l'entoure. Dans *La Cathédrale de Rouen : harmonie brune,* Monet traduit l'influence des ombres denses sur l'éclairage général de l'édifice, l'absence de lumière naturelle accentuant davantage encore certaines formes. On retrouve une technique semblable dans les autres peintures de la série, comme *La Cathédrale de Rouen : effet de soleil* (1883), dans laquelle il traite l'effet de la lumière du jour qui, vers le haut du tableau, jette un voile doré sur l'édifice, estompant partiellement le détail de ses formes.

Sur la falaise près de Dieppe (1897)

Celimage.sa/Edimedia

La beauté de cette peinture réside dans sa simplicité. Ses trois éléments de base sont le ciel, la mer et la terre. On ne peut déterminer le moment de la journée où ils ont été captés, et ils ont de ce fait un caractère intemporel.

Ici, ce n'est pas la puissance de la mer qui est évoquée, mais sa sérénité. Monet offre une vue de la nature plus paisible que celle des paysages de la Creuse, dont il s'attachait à saisir le côté sauvage. Ici il veut dépeindre également un paysage sévère, mais le résultat est moins austère. Les courbes molles de la falaise, qui occupe une bonne partie de la toile et plonge dans la mer, sont adoucies par les tons pastel de la couleur.

Le panorama vu du haut de la falaise apparaît dans plusieurs autres œuvres. Dans certaines d'entre elles, il est traité plus vigoureusement qu'ici. Les peintures de la falaise sont alors à rapprocher d'œuvres précédentes, comme *Boulevard des Capucines* (1873). L'intérêt de l'artiste pour les perspectives variées, en plan élevé, est une fois encore mis en évidence avec ces peintures de la falaise. Toutefois, les tableaux précédents ont pour objet de saisir un moment d'activité. Mais ici, c'est l'impression de sérénité qui est privilégiée.

Vétheuil, soleil couchant (1900)

Paris, musée d'Orsay. Celimage.sa/Lessing Archive

En venant habiter à Vétheuil, Monet installait sa famille dans une bourgade plus rurale que celle où elle avait précédemment vécu. Il n'y avait pas d'usines, comme à Argenteuil, et ses habitants étaient en majeure partie des cultivateurs.

Ce cadre rural entraîna un changement dans le choix des sujets picturaux de Monet. De fait, il n'y a plus dans ce tableau de description des relations entre l'industrie et la nature. Le fond de *Vétheuil, soleil couchant* est constitué de collines ondulées qui cernent un petit groupe de maisons. Le village est l'élément dominant du tableau, avec sa blancheur glaciale s'élevant sur le rose du ciel et le bleu de l'eau, sans aucun signe de vie.

Cette œuvre pourrait être comparée à *Vétheuil,* que Monet peignit un an plus tard, en 1901. Observées séparément, ces deux peintures peuvent paraître très différentes, mais à bien y regarder la perspective et le sujet sont semblables. Cependant, la palette de *Vétheuil* est composée de verts, de jaunes et de bruns dorés plus riches, tandis que des gris-bleu et des roses imprègnent *Vétheuil, soleil couchant*. Cette image froide et spectrale ne retire pas à cette œuvre sa sérénité, et la brume vaporeuse sur la toile est envoûtante.

LE JARDIN EN FLEURS

Paris, musée d'Orsay. Celimage.sa/Archives Scala

Monet passa vingt ans de sa vie à peindre des paysages d'eau et des vues de son jardin à Giverny. Cette série de travaux fut sa plus grande entreprise artistique et il la poursuivit au long des années 1890. Bien mieux qu'un jardin de fleurs, Monet a créé ici un espace empli de couleurs et de tons vibrants, florissant dans ses moindres recoins. Avec l'aide de jardiniers, il a planté des massifs de fleurs destinées à fleurir en même temps et dont l'assortiment soigneusement étudié était propre à fournir des sujets à peindre.

Le Jardin en fleurs offre un riche vert chaud, éclairé par un ciel bleu sans nuages, d'une tonalité assez inhabituelle. L'effet est presque irréel car le ciel lumineux et la maison sont opposés à une zone d'ombre très foncée, projetée par les arbres, à gauche de la toile. Les arbres en fleur sont immobiles et dressés, et nulle brise ne les agite. *Le Jardin en fleurs* peut être, par certains aspects, comparé à *L'Empire de la lumière* de René Magritte (1898-1967). Le traitement des détails confère aux deux œuvres un réalisme photographique assez étranger à la manière habituelle de Monet. La touche est ici délicate et précise, et l'artiste a certainement consacré de longues heures à l'exécution de ce tableau.

Le Jardin à Giverny (1902)

Vienne, Österreichische Galerie im Belvedere.Celimage.sa/Lessing Archive

Le jardin de Giverny inspira à Monet de nombreuses toiles expérimentales, remarquables, auxquelles il tenait beaucoup. *Le Jardin à Giverny* nous montre comment il pouvait enfermer toute une sphère de beauté dans un simple tableau. Par sa composition, la scène crée un sentiment de mystère, avec une partie sombre, encadrée de fleurs, s'étendant devant une maison en partie cachée par une rangée d'arbres. De petites taches de soleil filtrent des arbres touffus sur la maison et les fleurs, mais c'est la dense et riche couleur violette qui entraîne le regard vers la maison.

Les massifs bordant le chemin sont parsemés de petites touches de rouge et de blanc, qui se reflètent dans les fenêtres et sur les briques de la maison. Il en est de même pour les feuilles vertes des arbres sur les volets et la porte. Afin de donner plus d'équilibre au tableau, des traits de rouge sont mêlés au vert du feuillage, pour prolonger la tache rouge des fleurs au-dessus et au-dessous de la maison. De petits espaces de ciel bleu produisent un effet semblable avec les fleurs violettes. Mais c'est surtout la symétrie du tunnel d'ombres et de lumières qui s'impose et guide le spectateur sur les pas du peintre, vers le fond de son jardin tant aimé.

Waterloo Bridge, Grey Day (1903)

Washington, National Gallery. Celimage.sa/Lessing Archive

Cette autre série, comme celles des cathédrales et du jardin, a été achevée vers la fin de la vie de l'artiste. Il y traite à nouveau son sujet de prédilection en termes de couleur et de contraste. Le plus souvent dans la série, le pont est presque absorbé par la couleur qui l'entoure. Ici, Monet est revenu au procédé de la peinture sur toile rouge, et l'on retrouve dans ce tableau une vigueur rencontrée dans plusieurs tableaux antérieurs de Belle-Île. Si l'on compare ce *Waterloo Bridge* à celui de 1902, le pont du premier plan n'est pas immergé dans la couleur environnante, mais fortement campé.

C'est là un aperçu de Londres, ville industrielle. Des bateaux passent sous le pont, l'horizon est occupé par des usines, et Monet exprime la texture de la chape de brouillard. Il crée surtout une perspective sombre et morne de la ville, dépourvue du romantisme que l'on peut trouver dans d'autres vues du pont de Waterloo.

Ici, les touches sont courtes sur l'eau du premier plan et plus généreuses autour des arches du pont. Par ailleurs, les bâtiments industriels du fond apparaissent comme des silhouettes, que la couleur profonde du ciel assombrit encore.

L'usage intense et maîtrisé des couleurs, en particulier sur le pont, fait de ce tableau l'une des œuvres les plus puissantes de Monet.

LE PARLEMENT DE LONDRES, CIEL ORAGEUX (1900-1901)

Lille, musée des Beaux-Arts. Celimage.sa/Lessing Archive

Peint pendant un des voyages de Monet à Londres, ce tableau se révèle du même style que ceux produits en France à cette époque. Le brouillard de Londres, le *fog,* dilue les couleurs, noie les édifices, et le tableau baigne dans une lueur rose. La coloration irréelle due au brouillard se retrouvera plus tard dans certaines peintures de la série des nymphéas.

Le Parlement, sa tour et ses bâtiments dressent leur vigoureuse masse fantomatique, silhouettée en noir profond, sur fond d'un rouge vigoureux et sous un ciel tourmenté. L'eau est peinte avec un grand réalisme, avec de toutes petites vagues ridant sa surface. Le ciel y jette des traits de lumière et le rouge des nuages s'y reflète.

L'ambiance générale de cette peinture est sombre et fait naître un sourd malaise chez le spectateur, qu'atténue cependant une intimité créée par les couleurs. Le ciel rouge, en particulier, animé de turbulence, peut être comparé à celui de certaines peintures à sujets religieux.

NYMPHÉAS (1907)

Paris, musée Marmottan. Celimage.sa/Lessing Archive

Dans beaucoup de toiles de la série des nymphéas, et particulièrement dans celles où l'eau est la base unique de la composition,
sans rivage ni ciel au-dessus d'elle, on perçoit une sensation de
flottement. Le spectateur est comme suspendu en un lieu étrange,
où l'environnement a disparu et où ne subsiste plus que l'élément liquide. Dans ce tableau, on distingue à peine les reflets des
arbres de l'arrière-plan et peut-être la petite lueur rouge entre les
saules est-elle celle d'un lever de soleil. Un jaune adouci s'étend
comme un voile subtil sur la toile. Les couleurs sont semblables
à celles qu'utilisera Monet dans plusieurs œuvres postérieures de
Giverny, représentant le pont japonais de son jardin.

Cette peinture abandonne la palette plus froide des œuvres
traditionnelles de l'artiste et commence à exploiter les rouges et
les jaunes vifs. L'ensemble paraît ici presque surréaliste. Les
nymphéas ne mettent pas d'ombres ou de rides sur l'eau et
semblent flotter sur une masse liquide mais compacte, donnant
plus l'impression de terre que d'eau. Les fleurs, disposées en
traînées horizontales sur l'eau, ressemblent à des nuages.

CHARING CROSS BRIDGE, LA TAMISE (1903)

Yamagata, Museum of Art. Celimage.sa/Lessing Archive

Peint pendant le second séjour de Monet à Londres, ce tableau est du même style que d'autres, peints à cette époque. Le brouillard londonien estompe les couleurs et noie les édifices, n'en laissant voir que les contours. Il irradie la lumière solaire sur toute la scène, qui s'en trouve ainsi recouverte d'un voile rose.

Le caractère irréel du brouillard fait ressembler l'œuvre aux peintures des nymphéas. Comme dans *Nymphéas* (1903), les fleurs paraissent flotter sur la toile. Il n'y a aucun reflet sur l'eau, et elles ne semblent placées dans aucun contexte perceptible. Le Parlement, en revanche, est bien reconnaissable, mais sa présence fantomatique ne confère pas pour autant de la solidité au tableau. Malgré leurs panaches de fumée, les trains traversant le pont sont également immatériels.

La différence entre les deux œuvres vient de ce que *Nymphéas* est une peinture intimiste qui attire vers le sujet. *Charing Cross Bridge, la Tamise,* traité à distance dans une atmosphère nébuleuse, communique au spectateur sa mélancolique beauté.

Nymphéas

Paris, musée de l'Orangerie. Celimage.sa/Lessing Archive

Après 1900, Monet s'absorba entièrement dans les peintures de son jardin de Giverny, presque toutes consacrées aux déploiements de couleurs, aux nymphéas et au pont japonais. Ce cadre allait fournir les plus célèbres motifs de la longue carrière de l'artiste.

Ce tableau déclenche un choc esthétique et suscite une indicible émotion. Mais en même temps, la présence de l'eau d'un bleu violet cristallin, les nymphéas flottant au hasard à sa surface apportent un grand calme. Il n'y a pas ici de perspective et l'on est complètement captivé par la pureté des formes et la profondeur des couleurs. Les *Nymphéas* sont l'expression parfaite du talent de Monet pour rendre la beauté de la nature et la profonde harmonie qui s'en dégage.

En regardant de plus près la toile, on peut découvrir le subtil détail des rides provoquées par le lent mouvement des fleurs. Par endroits, Monet accentue d'une fine ligne de couleur la direction du déplacement de l'eau. Le ton de la plante verte pendant au-dessus d'elle se prolonge dans ses reflets, et les taches épaisses de rose et de jaune semblent de petits points de lumière qui étoilent le bleu apaisant de l'eau.

NYMPHÉAS À GIVERNY (1918)

Suisse, collection privée. Celimage.sa/Lessing Archive

Alors qu'il peignait cette toile, la double cataracte dont souffrait Monet s'aggrava. Sa vue était alors si faible qu'il devait lire le nom des couleurs sur les tubes pour les identifier. Cependant, *Nymphéas à Giverny* montre que sa main restait habile.

On voit ici que Monet fait un usage varié de vigoureuses touches verticales et horizontales pour rendre le reflet des arbres dans l'eau et le détail des nymphéas. Le vert sombre des feuilles de l'arbre donne un effet de profondeur, surtout aux endroits où il est opposé aux fleurs plus pâles. Celles-ci semblent émerger de la surface de la toile, et le tableau en tire une grande force. Il semble que celui-ci ait été composé d'une série de couches successives, et les différentes touches donnent à penser que l'artiste a été pressé dans son travail.

Un des aspects significatifs de cette œuvre est qu'elle montre combien Monet était capable de donner du même sujet des interprétations très différentes. Il suffit de revenir aux *Nymphéas* de 1907 pour percevoir le changement intervenu dans le travail de l'artiste.

NYMPHÉAS

Le Caire, musée Mahmoud Khalil. Celimage.sa / Lessing Archive

En 1883, Monet loua une maison en Normandie, à Giverny, et y demeura jusqu'à sa mort, en 1926. Pendant vingt ans, il y peignit des vues de son jardin. Celui-ci, soigneusement organisé, inspira la majorité de ses œuvres. Et de ces paysages d'eau naquirent des toiles étonnantes et parfois controversées, mais qui assurèrent définitivement sa renommée.

Monet commença la série des nymphéas dans les années 1890. Son premier groupe de peintures de jardin a une approche constante : prendre un sujet particulier et l'étudier à fond, en se concentrant sur lui à partir de points de vue variés, afin de le décrire sous des perspectives, des ambiances et des couleurs différentes.

Entre 1904 et 1908, il exécuta plus de 150 peintures de l'étang aux nymphéas dans le jardin japonais, et il aborda chaque année un nouveau groupe sous des angles divers. Ces toiles de très grandes dimensions devinrent plus étendues et moins détaillées vers la fin de sa vie, lorsque sa vue fut sérieusement atteinte.

Monet a remarquablement représenté l'élégance de son jardin, et celle des nymphéas paisiblement disposés à la surface de l'eau. La terre et l'environnement ne sont pas représentés, mais ils se matérialisent par leur reflet dans l'étang, qui occupe toute la toile. Le spectateur pénètre directement dans le milieu ambiant, gagné par une sensation de sérénité et ébloui par cette intemporelle beauté.

NYMPHÉAS

Paris, musée de l'Orangerie. Celimage.sa/Lessing Archive

Cette œuvre dominée par un bleu profond fait partie de la série des nymphéas. Ces fleurs et ces feuilles qui s'étirent donnent au tableau sa structure horizontale, commune à d'autres représentations des nymphéas.

Quarante-huit toiles consacrées aux nymphéas de l'étang du peintre furent exposées par Durand-Ruel en 1909. La série, bien que déroutante, fut très bien accueillie par les critiques, frappés par sa beauté et son harmonie.

L'eau fut toujours, on l'a vu, un élément qui fascina Monet au plus haut point. Les *Nymphéas* en sont une preuve évidente. Ici, il n'y a aucune présence de la terre ni du ciel. L'eau est peinte sans que l'on puisse juger de sa profondeur, et l'ensemble semble plat.

Georges Clemenceau, alors président du Conseil, avait toujours soutenu Monet. Il lui commanda une série de *Nymphéas,* destinée à être exposée à l'Orangerie des Tuileries, de telle sorte que les murs des salles ovales en fussent complètement recouverts. Le spectateur devait être ainsi plongé dans le milieu qui avait inspiré le travail.

Nymphéas (1907)

Celimage.sa / Lessing Archive

Dans beaucoup de peintures de nymphéas, l'absence de terre et de ciel abolit tout environnement. Et ne demeurent que l'eau et les plantes qui flottent à sa surface, dans une ambiance intemporelle.

Cette peinture de 1907 célèbre la beauté prépondérante du monde aquatique, bien que la zone médiane claire reflète légèrement des nuages et que les ombres latérales soient celles des saules. Les fleurs sont soigneusement disposées en lignes horizontales, comme dans les *Nymphéas* de 1914-1917.

Ces deux peintures constituent pour l'artiste des vues très intériorisées. En effet, elles ne sont pas une simple représentation de son jardin privé, mais bien plus la vision particulière qu'il en a. En traitant un sujet qui lui est si proche, il fait au spectateur confidence de son expérience de peintre. Et si les touches deviennent plus larges dans la dernière toile, cela n'est pas une évolution dans sa technique mais une conséquence des troubles de sa vue.

Nymphéas (1914–1917)

Celimage.sa/Lessing Archive

En 1914, Georges Clemenceau demanda à Monet de travailler à un grand projet, qui lui fut commandé officiellement par l'État en 1916. Il s'agissait de très grandes toiles décrivant des nymphéas, qui devaient faire l'objet d'une exposition permanente. Monet y travailla assidûment jusqu'à sa mort.

Ces peintures devaient être placées dans deux salles ovales de l'Orangerie des Tuileries, de telle sorte que le spectateur se trouvât entouré de nymphéas. Ce travail accrut l'expérience que l'artiste avait acquise avec des sujets traités en plans éloignés de l'œil du spectateur. Ces peintures sont l'aboutissement de tous les travaux de séries de Monet.

Il suffit de confronter ce tableau avec *En promenade près d'Argenteuil* (1875) pour constater à quel point le style de Monet a changé. Le paysage est ouvert, équilibré et tient le spectateur à distance. L'usage des lignes horizontales est commun aux deux œuvres, mais les *Nymphéas* attirent vers le motif, de simples fleurs sur un fond d'eau. Rien d'autre n'existe.

Les Hémérocalles (1914–1917)

Paris, musée Marmottan. Celimage.sa/Edimedia

Comme dans les autres séries de fleurs, les plants d'hémérocalles sont l'unique sujet du tableau. Mais l'arrière-plan présente des couleurs variées et des ombres. La présence d'autres végétaux sur la gauche n'est sans doute qu'une illusion, les touches bleues pouvant représenter des feuilles d'une autre plante.

Des fleurs émergent du bouquet central de feuilles et sont décrites assez sommairement. Une fois encore, Monet préfère donner une impression d'ensemble plutôt que de s'attarder aux détails. La touche est rapide, posée avec décision, et cette technique se retrouve dans *Nymphéas,* œuvre peinte en même temps.

Cela a pour effet de brouiller l'image centrale au point que les couleurs se mêlent. Cependant, dans *Les Hémérocalles,* la plante émerge sur un fond neutre, alors que dans les *Nymphéas,* les fleurs sont peintes sur un fond d'eau, qui est leur milieu ambiant.

Les couleurs utilisées sont vibrantes et montrent à quel point des problèmes de vision en altéraient la perception. La violence du rouge et du jaune à l'arrière-plan en est la conséquence.

Nymphéas (1914–1917)

Paris, musée Marmottan. Celimage.sa/Lessing Archive

Avec cette toile, on peut se rendre compte combien le style de Monet a changé à la fin de sa vie. Le format imposant de ces *Nymphéas* focalise le regard sur le sujet, car il n'y a de visible que la fleur sur un fond d'eau.

Des bandes de couleur s'étalent à partir des bords de la toile, ce qui est peut-être dû à la mauvaise vue de l'artiste plutôt qu'à une intention délibérée de sa part. Toutefois, on retrouve ici l'harmonie naturelle et l'équilibre dans la composition, présents dans ses précédents travaux. Cet aspect de l'art de Monet a marqué toute sa carrière artistique.

La palette de ce tableau est plus vigoureuse et plus sombre que dans les peintures précédentes de nymphéas. Le vert et le rouge sont épais, peints verticalement et avec assurance, de même que leurs reflets dans l'eau. Ils tranchent sur les autres surfaces de la toile, où le jaune d'or et le bleu-violet sont posés plus délicatement et sans à-coups autour des roseaux. L'opposition des deux couleurs en différents points crée l'impression que les roseaux verts s'étirent au-delà du cadre, alors que le bleu-violet utilisé au pied des plantes donne une grande profondeur à l'eau.

Nymphéas et Agapanthes (1914–1917)

Paris, musée Marmottan. Celimage.sa/Lessing Archive

Ainsi que dans d'autres peintures de fleurs de Monet dans son jardin de Giverny, *Nymphéas et Agapanthes* donnent deux représentations isolées de deux genres de fleurs rapprochées. Dans cette toile, le trait dominant est la couleur, assez réduite mais d'un effet soutenu. Les bleus foncés, les jaunes et les verts contribuent à détacher les plantes du fond, bien que le choix de la palette et son usage équilibrent les deux fleurs. Les pétales des agapanthes sont teintés d'un bleu pâle qui accompagne parfaitement le jaune des nymphéas. En outre, leur haute taille attire le regard et en fait inévitablement le point focal du tableau.

Le détail, dans *Nymphéas et Agapanthes,* vient plus de l'emploi de la couleur que de celui de touches ajoutées, destinées à indiquer les formes et les nuances. Cependant, on note que Monet a teinté le bout des pétales d'un bleu très pâle qui, par contraste avec les couleurs foncées environnantes, donne l'illusion d'une source de lumière qui les éclaire. Le même procédé est utilisé pour les nymphéas, la couleur de l'eau qui entoure leurs feuilles vertes devenant plus pâle et plus bleue. Les bulbes des fleurs sont peints de façon assez claire, pour les mettre en relief sur l'eau sombre qui les baigne.

SAULE PLEUREUR, GIVERNY

Paris, galerie Larock-Granoff. Celimage.sa/Lessing Archive

C'est l'une des dernières œuvres de Monet. Il voyait alors le monde extérieur comme à travers une lentille jaune, ce qui est le propre d'une vue altérée par la cataracte. En progressant, son mal allait teinter sa vision de brun.

Saule pleureur, Giverny est empli d'une couleur violette et est animé d'un mouvement en spirale, créé par un mélange de touches horizontales, verticales et tourbillonnantes. Le seul élément déterminant de l'arbre est sa couleur. Des tableaux comme celui-ci ont été rapprochés des premières créations de l'expressionnisme abstrait plutôt que de l'impressionnisme. La multitude des coups de pinceau, fins et serrés, et les oppositions de couleurs traduisent la lutte intérieure émouvante de l'artiste contre l'altération de sa vue et son incapacité de retrouver son style artistique antérieur.

Cependant, en dépit du fait que la toile ait été peinte vers la fin de la vie de Monet et que sa vue déclinait, elle a été bien composée. Et le peintre malade a été encore capable de créer, avec ses rouges et ses verts puissants, un contraste bien marqué entre le saule et son arrière-plan.

La Maison de l'artiste vue du jardin aux roses (1922-1924)

Paris, musée Marmottan. Bavaria Bildagentur / Celimage.sa/Lessing Archive

En 1923, Monet admit enfin qu'il était atteint de cataracte aux deux yeux, ce qui perturbait sa vision de loin. Sa vue était affectée depuis 1908 environ et son sens de la couleur modifié.

Cette toile se ressent de cette affection. Les couleurs dominantes sont le jaune et le rouge, le bleu est presque absent. Il est difficile d'identifier quelque élément dans le tableau, mais la cheminée et une partie du toit, peintes en rose, sont visibles dans le coin gauche. Les coups de pinceau serrés et les couleurs violentes montrent les tourments endurés par Monet à cause de sa maladie.

Il était très affecté par l'idée de devoir suspendre l'exécution des *Nymphéas* de l'Orangerie jusqu'à ce que sa cataracte fût soignée, afin de ne pas compromettre son œuvre. Son ami Georges Clemenceau parvint à le persuader de se faire opérer d'un œil.

LE PONT JAPONAIS À GIVERNY
(1918–1924)

Paris, musée Marmottan. Celimage.sa/Lessing Archive

On voit ici un changement marqué dans la couleur et la composition, par rapport aux précédentes peintures d'eau de Monet, comme les *Nymphéas*. Il en est de même avec une autre peinture du même motif, intitulée *Le Pont japonais*. Ici, un délicat mélange de gris et de bleu pâle a cédé la place à un tourbillon violent et intense de rouge, de jaune et d'orange. L'application plus relâchée des coups de pinceau donne une impression très différente de l'ambiance du jardin.

Peint vers la fin de la vie de Monet, *Le Pont japonais à Giverny* a été achevé alors que sa vue était très altérée. Cependant, l'effet produit est impressionnant.

Il y a quelque imprécision là où le pont traverse l'eau, mais on y trouve la plus forte variation tonale et l'on peut voir sur l'onde des touches légères de blanc et de jaune pâle qui, opposées au vert profond, confèrent une profondeur certaine au tableau.

La palette contrastée de rouge et de vert utilisée ici montre aussi l'attrait de Monet pour les effets de couleur. Cette toile très vivante est aussi très animée, par comparaison avec la sérénité de paysages d'eau antérieurs.

LE PONT JAPONAIS (1918-1924)

Paris, musée Marmottan. Celimage.sa/Lessing Archive

Il est aisé de suivre, dans la série du pont japonais, l'aggravation des troubles de la vue dont souffrait Monet, et leur effet sur son travail à la fin de sa vie.

Le rouge vif et le rouge-violet s'étalent sur la largeur du tableau en violentes spirales de couleur, et ne concordent que très peu avec les teintes du véritable pont japonais de Giverny, dans le jardin de l'artiste. Ce pont a été représenté dans des toiles célèbres de l'artiste, comme *Le Bassin aux nymphéas, harmonie verte* (1899), et *Le Bassin aux nymphéas, les Iris d'eau* (1900-1901).

Le Pont japonais est riche en couleurs, et pourtant le tableau manque de tonalité. L'emplacement du pont n'est signalé que par un changement de la touche, incurvée horizontalement dans la largeur de la toile, et l'on sait qu'il se trouve là d'après les peintures antérieures. On trouve ici, de façon inhabituelle, une grande quantité de blanc, qui se glisse parmi les vigoureuses taches de couleur. Un autre aspect notable est l'épaisseur de la peinture et des touches. Sous le pont, celles-ci deviennent plus courtes et plus fines pour représenter l'eau ; lorsqu'elles se déplacent vers la droite, elles se font plus longues et plus épaisses pour évoquer le saule pleureur, déjà représenté dans les œuvres précédentes.

IRIS (1924–1925)

Paris, musée Marmottan. Celimage.sa/Lessing Archive

Cette peinture est l'une des dernières auxquelles travailla Monet. À ce stade ultime de sa carrière, il poursuivait encore son évolution artistique et s'essayait à de nouvelles techniques. C'est là une des nombreuses raisons qui lui ont valu le respect des critiques au long des années.

Avec *Iris,* il entend donner une vue intimiste de la plante. Le fond est un tourbillon indéterminé de couleur, sans souci particulier de représentation fidèle, une description d'un iris dans sa forme la plus pure. À la différence de ses peintures précédentes, ce ne sont pas les tons violets et lilas des fleurs qui ont captivé l'œil de Monet, mais au contraire la forme des feuilles. Les touches de vert et d'orange sur l'une d'elles sont le point d'attraction du tableau.

Ce qui intéresse Monet, comme on peut le voir dans une œuvre remontant au début de sa carrière, c'est le réseau formé par les lignes horizontales et verticales des feuilles qui se croisent. L'absence de symétrie est accentuée par leurs courbes, qui confèrent à l'ensemble douceur et harmonie.

La Maison vue du jardin aux roses (1922–1924)

Paris, musée Marmottan. Celimage.sa/Scala Archives

C'est l'une des quelques vues de la maison de Monet, peintes depuis le jardin aux roses. Ici, les couleurs ont été pressées directement de leurs tubes et les rouges, jaunes, oranges et verts jaillissent du cadre. Dans ses dernières peintures, l'artiste prend à rebours les couleurs du spectre, abandonnant les bleus froids et les verts de sa palette, plutôt restreinte, pour des rouges et des jaunes vifs qui captent immédiatement l'attention. L'effet d'ensemble est celui d'un mélange de couleurs plutôt qu'une étude précise d'un sujet.

Monet avait de plus en plus de difficulté à surmonter la détérioration de sa vue. Ne pouvant retrouver le style qu'il désirait, il détruisit même certaines de ses peintures de cette période. Une autre vue de sa maison fut exécutée peu après l'opération pratiquée sur l'un de ses yeux. Cette œuvre, qui contraste avec les rouges de *La Maison vue du jardin aux roses,* déborde de bleu, d'où la référence à sa «période bleue» employée pour les peintures de cette époque.

Biographie des auteurs et remerciements

Vanessa Potts est née à Sunderland en 1971. Elle est diplômée de littérature anglaise et américaine de l'université de Warwick (1992) et de littérature et arts visuels de l'université de Reading (1998). Elle mène de front sa carrière d'écrivain et de responsable d'achats dans une grande entreprise.

Claire I. R. O'Mahony est diplômée de l'université de Californie à Berkeley et du London's Courtauld Institute of Art. C'est une spécialiste de l'art du XIXe siècle, en particulier de la décoration murale sous la IIIe République, ainsi que des portraits de modèles dans les ateliers d'artistes. Elle est lectrice auprès du Courtauld Institute et conservatrice des expositions sur le XIXe siècle de la Richard Green Gallery à Londres.

Texte additionnel et mise à jour par Image Select International, avec des remerciements particuliers à Joanna Nadine Roberts et Peter A. F. Goldberg.

Bien que le plus grand soin ait été apporté à la reproduction des illustrations et à l'exactitude de leurs crédits, l'éditeur sera reconnaissant de recevoir tout commentaire ou suggestion pour de futures réimpressions de cet ouvrage.

Nous remercions Image Select pour la recherche iconographique.